O CHEF SEM MISTÉRIOS

"Um jeito fácil de preparar pratos informais porém deliciosos", *Guardian*

"Este é um homem com um amor infantil por comida... Ele derruba comida no chão, mas ainda a come. Ele compra discos. Ele tem uma banda. Ele não gosta de pão integral. Ele escorrega pelos corrimões. E, acima de tudo, com seu sotaque ele dita para os britânicos receitas de uma simplicidade e impacto devastadores", *Observer*

"Ele parece uma estrela do rock, soa como um fanfarrão e cozinha como um anjo", *Daily Telegraph*

"O chef rock'n'roll... cujo estilo informal deu um merecido soco no olho do *establishment* culinário", *GQ*

"Jamie Oliver é um chef jovem e inteligente. Ele transpôs o que aprendeu nas cozinhas dos restaurantes tanto para a TV quanto para os livros. Se você tomar as receitas apenas pelo valor de face, sem os rendimentos, a sua recompensa virá por meio de recomendações seguras e boa comida", Sybil Kapoor, *Independent*

"Simplesmente delicioso", *Mail on Sunday*

"Este pratos tendem mais para o simples do que para o elaborado... e contam com ingredientes frescos e abundância de ervas. Muitos dos pratos revelam influência italiana e os capítulos sobre massas e risotos e sobre couscous estão entre os melhores", *Time Out*

"O chef que... trouxe os aromas de volta à cozinha", *Radio Times*

"Com seu surrado pano de prato, seu cru entusiasmo e seu grande e sexy facão, o chef Jamie Oliver faz esta vida com óleo extravirgem de oliva", *Sunday Herald*

"Ele é a coisa mais quente que surgiu na cozinha desde as pimentas chilli. A gente nunca se enjoa de Jamie Oliver", *Evening Standard*

A RESPEITO DO AUTOR

Jamie Oliver começou a cozinhar no *pub* do seu pai quando tinha oito anos de idade. Trabalhou com muitos dos maiores nomes da culinária na Inglaterra, incluindo Antonio Carluccio e Rose Gray e Ruth Rogers, do River Café. Jamie escreve regularmente aos sábados para a revista *The Times*, e é também editor de culinária da *Marie Claire*. Ele é autor de dois outros livros, *Return of the Naked Chef* e *Happy Days with the Naked Chef*, também publicados pela editora Penguin.

O CHEF SEM MISTÉRIOS

Jamie Oliver

EDITORA
GLOBO

Para minha família

Título da obra: *Jamie Oliver - O Chef sem Mistérios*
Título original: *The Naked Chef by Jamie Oliver*

Tradução: Leonardo Antunes
Edição: Esníder Pizzo
Revisão: Irene Incaó
Editoração eletrônica: Estúdio Filial

Direitos de edição em língua portuguesa para o Brasil
adquiridos por Editora Globo S.A.
Av. Jaguaré, 1485 - 05346-902 - São Paulo - SP
www.globolivros.com.br

Dados Internacionais de Catalogação na Publicação (CIP)
(Câmara Brasileira do Livro, SP, Brasil)

Oliver, Jamie
O chef sem mistérios / Jamie Oliver ;
[tradução Leonardo Antunes]. -- São Paulo : Globo, 2005.
Título original: The naked chef

ISBN 85-250-3978-0

1. Culinária 2. Receitas I. Título.

05-4143 CDD-641.5

Índices para catálogo sistemático:
1. Receitas : Culinária 641.5

5ª reimpressão

SUMÁRIO

Agora você vai entrar numa área de comida

INTRODUÇÃO

A respeito do livro

Quando me mudei para Londres aluguei um pequeno flat em Hampstead, com uma cozinha do tamanho de um guarda-louças. Depois eu me mudei para outro flat térreo em Hammersmith, que não era muito melhor. E assim fui percebendo como é difícil cozinhar com as limitações de uma cozinha pequena e utilizando apenas equipamentos básicos.

Por algum tempo, eu havia cozinhado bons pratos em um restaurante, mas tinha muita dificuldade em recriá-los em casa, por falta de tempo, espaço, equipamento e, às vezes, da disponibilidade de produtos de boa qualidade a preços razoáveis. Então, num esforço para recriar algumas receitas mais apetitosas do restaurante em uma cozinha tão desprovida de recursos, eu me vi reduzindo-as a seus ingredientes básicos. Fiz adaptações, usando o que eu tinha no armário, na despensa, na geladeira ou no quintal.

Foi assim que eu consegui juntar um repertório de receitas simples e deliciosas. Ao mesmo tempo, tratei de manter distância do jargão culinário e de qualquer complicação ou processos que consumissem mais tempo do que o estritamente necessário.

O objetivo deste livro é estimulá-lo a ir para a cozinha com a chama do entusiasmo e da autoconfiança.

A meu respeito

Nasci e cresci em um pub de uma pequena e bela cidade chamada Clavering, perto de Saffron Walden, no norte de Essex. Vivi ali lavando copos, abrindo garrafas de vinho e cozinhando, atividades que tomavam a maior parte do meu dia-a-dia.

Meu interesse pela cozinha começou depois que, um dia, eu disse ao meu pai: "Todos os meus amigos têm mesada. Eu poderia ter uma, por favor?".

Ele sorriu e respondeu: "Não, mas, se quiser, você pode ganhar algum dinheiro!".

Meu pai sempre teve um jeito especial de me fazer levantar de manhã. Lembro-me bem que, se eu ficasse na cama por mais tempo, num sábado de verão, ele pegava a mangueira, enfiava pela janela do meu quarto e esguichava água em mim. Papai tinha uma seleção de "coisas prazerosas" esperando por mim, todas, obviamente, relacionadas com muito trabalho pesado e geralmente uma vassoura ou um esfregão. Depois disso eu era "promovido" a lavador de pratos, o que me fazia suar ainda mais. Eu achava que isso não era uma atividade suficientemente masculina para os meus oito anos de idade – e então decidi que meu lugar era na cozinha, onde habitava o espírito dos homens de verdade. Aí começou minha educação, e não somente no departamento de culinária – também aprendi uma linguagem bem apropriada! Eu devia ser um verdadeiro estorvo para os cinco chefs do meu pai, mas eles eram muito pacientes comigo e sempre me animavam. Foi assim que eu comecei a desenvolver minhas habilidades.

Eu trabalhava no pub todo sábado e domingo até terminar a escola. Aos 15 anos, passei duas semanas trabalhando para ganhar experiência no Starr, em Gret Dunmow, e Brian Jones e seu chef confiaram tanto em meu trabalho que, na segunda semana, me encarregaram de cuidar de uma seção da cozinha. Eu estava em meu elemento, e isso inspirou minha decisão de dedicar-me para sempre à culinária.

Durante três anos, viajei todos os dias para freqüentar o Westminster Catering College, onde, afortunadamente, havia conseguido uma vaga. Fiquei completamente embasbacado diante do tamanho do colégio e da mistura cosmopolita de seus estudantes. Era o máximo! Eu adorava cada parte do curso, não só o trabalho prático, mas também tudo de interessante que acontecia no colégio.

Minha inclinação pessoal pela cozinha moderna não foi inteiramente formada nessa época. Como um chef jovem, eu achava que um prato feito com muita agitação era um bom prato. Só quando fui trabalhar no Château Tilques, na França, é que aprendi que a qualidade, o cuidado, o amor e o talento individual precisam ser postos em prática em cada etapa da preparação do prato.

Foi assim que se desenvolveu minha paixão pela comida. Cercado de pessoas muito mais talentosas do que eu, cujo entusiasmo era altamente contagiante, aprendi tudo que pude.

O lugar para aprender mais, pensei, só poderia ser Londres – o que deixava maluco o pessoal ligado ao mundo dos restaurantes, inclusive eu.

Quis desesperadamente aprender sobre cozinha italiana, e tive sorte de conseguir trabalhar com Antonio Carluccio no Neal Street Restaurant, onde a massa e os pães estavam sem dúvida entre os melhores de Londres. Antonio Carluccio e seu inseparável Gennaro são famosos por seus maravilhosos cogumelos silvestres. Eu achava engraçado quando, no meio da época de porcini inglês, alguns velhos italianos iam colher cogumelos durante cinco dias. Eles sabiam das coisas (tão importantes quando alguém está colhendo cogumelos!) – conheciam os lugares "secretos" onde encontrá-los, e todos os dias voltavam do campo com cestos cheios de porcini. Na segunda-feira, pareciam muito pobres e desarrumados, mas na sexta-feira já vestiam vistosos trajes esportivos brancos da última moda. Excelente! Colher cogumelos era, obviamente, um trabalho bem pago!

Depois de um ano no Neal Street Restaurant, sentindo que eu realmente adorava a cozinha italiana, achei que deveria conhecer mais sobre ela. E então decidi trabalhar no River Café (N. do T.: Famoso restaurante próximo ao rio Tâmisa em Londres). Telefonei pelo menos umas dez vezes tentando falar com Ruth Rogers ou Rose Gray para marcar uma entrevista. Finalmente consegui falar pelo telefone com Rose, que me pareceu muito fria e grosseira; disse-me o diabo, mas logo eu iria saber que esse era o seu jeito de falar ao telefone e que de fato ela é a mais maravilhosa, calorosa e inspiradora chefe que eu tive.

Nada pode prepará-lo para trabalhar no River Café. Não importa o que você tenha aprendido antes: Rose Gray e Ruth Rogers têm um estilo único e nada convencional que realmente funciona. Para um chef, lidar com produtos frescos, orgânicos e de ótima qualidade é a mais inspiradora experiência. Algumas de minhas receitas são inevitavelmente inspiradas pelo que eu aprendi no River Café, onde fui encorajado a usar a minha imaginação. É como eu desejo encorajá-lo também... Vá em frente!

PRIMEIRO MOVIMENTO

Seja você um principiante ou um experiente cozinheiro em um momento de empolgação, a primeira coisa a considerar são os ingredientes. Quando eu estava na faculdade, um dos nossos professores, Mr. Hobbley, repetia, todo dia, que era "preciso conhecer os ingredientes, cada vez mais". Eu costumava imitar sua voz, por brincadeira, mas ele estava certo. Quando você vai às compras, dê uma olhada nas lojas e mercearias para ver o que está acontecendo. Eu não posso me entupir de coisas na Harrods e na Selfridges, mas não custa nada ir até lá e dar uma olhada, é muito bom! Suas fantásticas seleções são realmente educativas.

Ingredientes – açúcares, farinhas, óleos, ervas, mostardas, vinagres... a lista é imensa, e cada coisa, ou cada combinação, pode levar um prato para um rumo completamente diferente. Então, compre ingredientes realmente bons, como um bom óleo de oliva, e você terá meio caminho andado para um prato perfeito.

A lista a seguir pode ser a base para alguns pratos realmente fantásticos. Assim, quando você voltar para casa com uma peça de carne ou peixe e alguns vegetais, haverá sempre alguma coisa no armário para dar à sua comida um toque especial de qualidade.

THE GREEN ROOM
DUFFER
BUILDE
315 WEST

Lista de sugestões básicas para a sua despensa

- Mostardas: Dijon, grão integral, inglesa
- Óleos: girassol, oliva e extravirgem de oliva
- Vinagres: de vinho tinto, vinho branco, balsâmico, de arroz
- Farinha: de trigo e de milho, puras.
- Semolina
- Fermento em pó, bicarbonato
- Açúcar: demerara, branco, glacê
- Sal: marinho, para mesa e cozinha
- Massa seca: espaguete, linguine, tagliatelle, penne, farfalle
- Legumes (grãos): feijão-rajado, feijão-branco, feijão-preto, feijão-manteiga, ervilha seca, lentilha, grão-de-bico
- Tomates em conserva
- Arroz: basmati, arbóreo, carnaroli (N. do T.: Podem ser encontrados em alguns supermercados ou lojas especializadas)
- Azeitonas: pretas, verdes
- Noz, pinhão, amêndoa, avelã
- Cogumelos secos: porcini
- Tomates secos
- Chocolate: de boa qualidade, próprio para usar na cozinha
- Chocolate em pó
- Shoyu (molho de soja), molho de peixe, molho de ostra
- Anchovas em conserva de sal ou de óleo
- Alcaparras: na salmoura (as menores são as melhores)
- Ervas e temperos (veja a página 11)

ERVAS E ESPECIARIAS

ERVAS E ESPECIARIAS

Ervas frescas

Ervas frescas são as melhores – você pode usá-las em quase todos os pratos que fizer. Elas crescem muito facilmente. Onde quer que você viva, na cidade ou campo, seja você rico ou pobre, more no sexagésimo andar ou num apartamento térreo, não tem problema! Basta plantá-las em seu jardim, na jardineira sob a janela, num vaso ou num balde.

Você pode plantar alecrim, tomilho, sálvia, manjericão, coentro e louro. Eles crescem o ano todo, chova ou faça sol, frio ou calor, e podem ser colhidos em qualquer época. Você não precisa fazer nada além de dar a elas água e um pouco de fertilizante. É maravilhoso poder colher sálvia dentro de casa. Hortelã, orégano e manjerona também podem ser cultivados o ano todo. No entanto, podem morrer durante um inverno rigoroso se não estiverem protegidas do frio intenso. Mas sempre voltam de repente na primavera.

Uma amiga minha tem um grande pé de manjericão roxo na cozinha. É esplêndido. A gente não pode ficar comprando aqueles pequenos pacotes de ervas no supermercado, porque vamos pagar caro por produtos de qualidade inferior. E, para não ir muito longe, a idéia é de que ervas frescas devem ser colhidas e usadas imediatamente na cozinha, para aproveitar seu aroma natural, e não ficar murchando dentro de pacotinhos de plástico. Então, mãos à obra!

Ervas secas

Elas têm sua utilidade. Não são iguais às ervas frescas, e você precisa se lembrar de não usá-las além da conta, porque as ervas secas têm aroma mais concentrado. Acho até que o orégano e a manjerona são utilizados com maior freqüência depois de secos, quando seu aroma fica bem pronunciado.

Especiarias

As especiarias são ótimas na cozinha. Não são perecíveis e estão sempre ali, esperando para ser usadas. É mais barato comprá-las a granel do que naquelas pequenas embalagens, mas você deve guardá-las em recipientes hermeticamente fechados.

As especiarias que eu tenho em meu armário fazem parte dos ingredientes listados na página 9 e são as seguintes:

- Pimenta-do-reino
- Chilli seco
- Noz-moscada
- Cravo-da-índia
- Sementes de coentro
- Sementes de erva-doce
- Sementes de cominho
- Sementes de alcaravia

O almofariz

Este é provavelmente o melhor investimento que você pode fazer para a sua cozinha. Assim que você escolhe as ervas e temperos que vai usar, o que você realmente vai precisar é de um almofariz. Eu não poderia fazer nada sem o meu. Mas não vá comprar um daqueles feitos de louça ou porcelana, que não agüentam o trabalho. Prefira um grosso, de pedra, que não quebra e dura a vida inteira.

SOPAS

Boas sopas são preparadas com bons ingredientes. Uma sopa pode ser feita rapidamente e ir à mesa em poucos minutos e nem por isso deixará de ser tão saborosa quanto outra que leva muito tempo para ficar pronta. Sopa é uma dessas coisas que qualquer um é capaz de fazer. Pode ser muito simples, como alguns vegetais cozidos, um tempero adicional e um pouco de caldo, e só. O que você precisa é escolher se quer uma sopa com pedaços inteiros dos ingredientes ou se vai querer amassá-los como uma papinha para bebês (afinal, todos nós gostamos de comida para bebês, não é mesmo?). Para ficar diferente, você pode acrescentar algum tipo de creme ou alguns croûtons.

O bom é que você consegue fazer sopas com pouca coisa e, usando um pouco de imaginação, elas podem ficar deliciosas. Sempre que faço sopa eu a preparo para 4 a 6 pessoas, mesmo que eu vá comer sozinho. A sobra eu guardo em pequenos sacos plásticos apropriados. (Congelar não tira nenhum sabor da sopa e ainda assim será muito mais saborosa do que qualquer uma que você compre no supermercado.)

A seguir, cinco de minhas receitas favoritas.

O meu minestrone

Se você já experimentou um minestrone de verdade, sabe do que estou falando. Há muitos minestrones excelentes na Itália, diferentes uns dos outros em cada lugar e em cada região. Não há uma receita básica que represente todo o universo dos minestrones. Os ingredientes mudam conforme a estação do ano. No inverno, quando está frio, você prefere uma sopa quente e substanciosa, com mais massa e vegetais. No verão, quando faz calor, você quer uma sopa leve, menos substanciosa, com coisas como brotos de aspargos, ervilhas, feijões, alcachofras. No River Café, no verão, você encontra um delicioso minestrone com hortelã e manjericão.

Dicas para antes de começar

- Acho que é bom usar dois tipos diferentes de repolho. (N. do T.: Aqui temos basicamente o repolho branco, o roxo e o verde com folhas crespas, como o tipo savoy, ou lisas).
- Você pode torná-lo realmente excepcional se fizer sua própria massa (veja página 44). Desenrole uma fina folha de massa e retalhe-a grosseiramente com uma faca, até os pedaços ficarem do tamanho que você quer. A massa deve ficar com formatos diferentes, dando-lhe um bonito aspecto de rusticidade. Afervente-a rapidamente para remover o excesso de farinha (apenas 30 segundos) e, então, adicione-a à sopa pouco antes de ficar pronta.
- Se você usar espaguete seco, embrulhe-o numa toalha pequena ou num pano de cozinha bem limpo e bata-o na quina da mesa para quebrá-lo em pequenos pedaços.
- Esta sopa fica melhor com caldo de presunto ou de pernil; por exemplo, o caldo que resulta do cozimento de um pedaço de bacon (veja página 131). Caldo de galinha ou de vegetais também são bons, porém acrescente uma pequena fatia de pancetta ou de bacon defumado quando for fritar os vegetais e o alecrim. Lembre-se de que caldo de presunto tende a ficar ligeiramente salgado, por isso é bom provar a sopa antes de finalizar o tempero.
- Tomates frescos bem maduros são ideais, embora existam tomates italianos de qualidade em conserva, capazes de produzir bons resultados.

Para 6 pessoas
10 tomates grandes maduros (ou 800 g de tomates em conserva, sem o suco)
3 cenouras de tamanho médio
2 alhos-porós de tamanho médio
5 talos de salsão (aipo)
2 cebolas roxas
1 repolho (ou uma mistura equivalente de repolhos diferentes)
1 colher (sopa) de óleo de oliva
2 dentes de alho fatiados finamente
1 colher (sopa) de alecrim picado
850 ml de caldo de presunto ou de pernil (ou caldo de galinha ou de vegetais)
3 punhados de manjericão fresco
170 g de espaguete (ou ½ receita de massa da página 44)
sal e pimenta-do-reino moída na hora
óleo extravirgem de oliva
queijo parmesão ralado

Depois de fazer pequenos talhos em cruz na ponta, coloque os tomates em água fervente por alguns instantes. Então tire a pele, as sementes e pique-os grosseiramente em cubinhos. Raspe as cenouras, corte-as em quatro no sentido do comprimento e pique. Retire as folhas externas dos alhos-porós, corte-os em quatro no sentido do comprimento, lave bem e pique. Retire as partes fibrosas do talo de salsão, corte-os ao meio no sentido do comprimento e pique. Você pode usar o miolo do alho-poró, que eu adoro em saladas, mas acontece que o minestrone parece que foi criado para se usar os talos externos, que não são de entusiasmar. Descasque e pique as cebolas. Quanto picar esses vegetais, procure obter pedaços mais ou menos do mesmo tamanho, mas sem ser preciso demais. Lave e pique grosseiramente o repolho.

Ponha o óleo de oliva em uma panela de fundo grosso e refogue a cenoura, o alho-poró, o salsão, a cebola, o alho e o alecrim em fogo médio até que fiquem macios (cerca de 15 minutos). Junte os tomates picados e cozinhe por 1 a 2 minutos. Adicione o caldo e deixe cozinhar em fogo baixo por 15 minutos a partir do ponto em que levantar fervura, tirando a espuma se necessário. Acrescente o repolho, tampe a panela e deixe cozinhar por 10 minutos. Junte então o manjericão em pedaços e a massa, que vai absorver os sabores da sopa. Deixe cozinhar por 5 minutos ou mais. Prove antes de finalizar o tempero. A sopa deverá ficar espessa, com muito sabor, e o repolho não deverá ficar muito cozido.

Sirva com um bom óleo extravirgem de oliva apimentado e o parmesão.

Sopa cremosa de berinjela, cannellini (feijão-branco) e ricota

Para 6 pessoas

285 g de feijão cannellini (feijão-branco), deixado de molho a noite toda
4 berinjelas grandes
1 colher (sopa) de óleo de oliva
2 dentes de alho cortados finamente
1-2 pimentas vermelhas (chilli) pequenas secas, trituradas ou cortadas
1 colher (sopa) de manjericão fresco
1 colher (sopa) de salsa picada
560 ml de caldo de galinha ou de vegetal (veja pág. 223)
250 g de ricota fresca
sal e pimenta-do-reino moída na hora
óleo extravirgem de oliva

Enxágue os cannellini postos de molho. Cubra-os com água, ponha para ferver e deixa cozinhar por cerca de 1 hora ou até ficarem tenros.

Fure as berinjelas com uma faca, coloque-as em um recipiente apropriado e leve-as inteiras ao forno para assar em temperatura máxima por cerca de 40 minutos.

Aqueça o óleo de oliva em uma panela de bordas altas e frite o alho, a pimenta vermelha, o manjericão e a salsa até que o alho fique macio mas não dourado. Corte as berinjelas assadas ao meio e raspe todo o conteúdo cheiroso do seu interior para dentro de uma panela. Adicione o feijão e o caldo. Leve à fervura e deixe cozinhar por 20 minutos. Depois, retire metade da sopa, bata-a e torne a despejar na panela. Misture bem e tempere. A sopa deve ficar cremosa, vigorosa e razoavelmente espessa. Misture a ela a ricota esmigalhada e levemente temperada.

Ao servir, borrife cada tigela com um bom óleo extravirgem de oliva apimentado e coma com pão quentinho, tostado na hora.

Sopa de grão-de-bico e alho-poró

Esta é uma receita que meu amigo australiano Brend encontrou em algum velho livro de receitas. É rápida e fácil de fazer e seu sabor é fantástico. Os grãos-de-bico ficam cremosos e apetitosos e os alhos-porós, sedosos e macios. São apenas dois simples sabores, mas, mesmo para mim, um garoto adepto dos punhadinhos de ervas frescas, esta adorável sopa leve é deliciosa.

Para 6 pessoas

340 g de grão-de-bico deixado de molho a noite toda
1 batata de tamanho médio descascada
5 alhos-porós de tamanho médio
1 colher (sopa) de óleo de oliva
1 pedaço de manteiga
2 dentes de alho fatiados bem fino
sal e pimenta-do-reino moída na hora
850 ml de caldo de galinha ou de vegetal (veja página 223)
queijo parmesão ralado
óleo extravirgem de oliva

Enxágüe o grão-de-bico posto de molho, cubra-o com água e cozinhe com a batata (veja "Como cozinhar legumes" na pág. 157) até ficar tenro. Remova a película externa dos alhos-porós, corte-os em tiras no sentido do comprimento a partir da raiz, lave com cuidado e corte em fatias mais finas.

Aqueça uma panela de fundo espesso e coloque nela a colher de óleo de oliva e a bolota de manteiga. Adicione o alho-poró, os dentes de alho, uma pitada de sal, tampe a panela e deixe em fogo brando até que o alho-poró fique tenro. Junte o grão-de-bico e a batata escorridos e deixe cozinhar por 1 minuto. Acrescente dois terços do caldo e cozinhe por mais 15 minutos.

Agora decida se você quer bater a sopa no liquidificador (ou qualquer outro processador) ou se vai deixá-la como está. Ou então se vai fazer como eu faço: uma mistura de metade batida e metade inteira, o que dá à sopa uma sensação estimulante de maciez, porém com um pouco de textura. Acrescente então o restante do caldo para conseguir a consistência que você preferir. Prove, ponha mais sal se achar necessário e adicione o queijo parmesão.

Esta sopa é ótima como entrada, mas eu acho que fica melhor como uma refeição leve, em uma tigela grande e regada com um bom óleo extravirgem de oliva, uma pitada de pimenta-do-reino e uma porção extra de parmesão ralado.

Sopa de tomate e pimentão vermelho com manjericão socado e óleo de oliva

Gosto desta sopa quente, mas é melhor servi-la fria no verão. Fica bonita e os aromas se harmonizam, apesar de cada um dos ingredientes conservar seu próprio sabor. Vai bem com sanduíche de mussarela ou qualquer outro queijo cremoso na chapa.

Para 6 pessoas
15 tomates maduros
3 pimentões vermelhos de tamanho médio
aproximadamente 7 colheres (sopa) de óleo extravirgem de oliva
1 colher (sopa) de pimenta vermelha (chilli) fresca sem sementes
sal e pimenta-do-reino moída na hora
1 dente de alho picado bem fino
2 colheres (sopa) de vinagre de vinho tinto, ou a seu gosto
560 ml de caldo de galinha ou de vegetal (veja pág. 223)
2 bons punhados de manjericão fresco

Faça dois pequenos talhos cruzados na ponta dos tomates e coloque-os em água fervente por uns 20 segundos ou o tempo necessário para você poder tirar a pele e as sementes. Asse os pimentões (para conseguir o verdadeiro sabor do pimentão é preciso assá-lo até ficar preto), coloque-os em uma vasilha tampada, depois tire a pele e pique-os.

Ponha os pimentões picados e a colher de pimenta chilli picada em uma panela de fundo espesso aquecida com 2 colheres de óleo extravirgem, uma pitada de sal e pimenta-do-reino e frite por cerca de 5 minutos. Adicione o alho picado e deixe cozinhar por mais 2 minutos. Junte então os tomates picados grosseiramente e deixe cozinhar por cerca de 10 minutos com outra pitada de sal e o vinagre, o que fará com que seus aromas e sabores se mesclem. Acrescente o caldo e deixe cozinhar por 15 minutos. Tempere com sal a seu gosto.

Em um almofariz (ou em um processador de alimentos) esmague o manjericão com uma pitada de sal até formar uma pasta. Misture o restante do óleo de oliva e umas gotas de vinagre. Por fim, espalhe à vontade a pasta de manjericão temperada sobre sua sopa.

SOPA FUSION ORIENTAL

Para ser sincero, essas sopas me deixaram maluco. Quando comecei a fazê-las não sabia absolutamente nada sobre qualquer tipo de sopa fusion ou comida típica asiática, e preciso admitir que ainda não sou um expert. Mas isso não é o mais importante – para ir fundo na questão, o que você deve fazer é tentar se virar por conta própria. Uma boa sopa fusion não deve ser concebida como uma sopa para empanturrá-lo em uma dia de inverno. Ao contrário, precisa ser leve, agradável, restauradora, quase terapêutica. O que eu faço é rodar pelos mercados e supermercados vendo todos os ingredientes importados do Extremo Oriente. Eles são ótimos. Minhas sopas fusion orientais são inspiradas no que eu consigo encontrar e no que eu acho que vai dar certo.

A melhor coisa é que você pode "viajar" nesse tipo de sopa. Prepare para você mesmo uma boa tigela de sopa com noodles, vegetais ou o que seja. Vai ser muito bom. (Não estou sugerindo que você coma esse tipo de sopa num primeiro encontro, porque tomá-lo como se deve inclui uma sucessão de barulhos com a boca, chupões e outras coisas. Você vai ficar se debatendo com algumas tiras de noodles e certamente vai espalhar uma porção de sopa pelo rosto, e por isso é bom deixar para algumas semanas depois do começo do namoro.)

Vou dar a você duas de minhas receitas favoritas, mas a idéia é que você decida como prepará-las a seu modo, usando três ou quatro ingredientes como noodles, ervas, carne, peixe ou legumes. Mas lembre-se: o mais importante é o caldo. Eu gosto dele claro e com um bom tempero (para clarificar caldos, veja na página 226).

Tente servir a sopa fusion separada da carne. Vai ficar mais charmoso e especial. Separe todos os ingredientes do caldo e, depois, sirva-o fervente com uma chaleira ou uma jarra comum. Acrescente um bom punhado de ervas frescas ao caldo. Simplesmente despeje-o, fumegante, sobre os vegetais e/ou a carne em cada tigela e esprema algumas gotas de limão por cima.

Frango grelhado com gengibre, vegetais chineses e noodles em caldo de ervas

Para 4 pessoas
4 peitos de frango
sal e pimenta-do-reino moída na hora
1litro de caldo de galinha (veja na página 223)
1 colher(sopa) bem cheia de gengibre fresco cortado bem fino
1 dente de alho fatiado
300-400 g de vegetais chineses (pak choy ou nabo chinês e brócolis chineses)
450 g de noodles
1 ou 2 pimentas vermelhas (chilli) frescas, sem sementes e bem picadas
1 punhado de coentro fresco despedaçado
4 colheres (sopa) de shoyu
1 limão

Desosse e tire a pele dos peitos de frango, elimine qualquer excesso de gordura e tempere com sal. Leve-os a uma chapa bem quente e deixe grelhar dos dois lados até ficar no ponto. Coloque os peitos de frango em uma tábua, deixe descansar por 3 minutos e depois corte-os em ângulo em fatias de cerca de 1 cm. Enquanto isso, leve o caldo de galinha ao fogo com o gengibre e o alho e, assim que levantar fervura, abaixe o fogo e deixe cozinhar. Gosto de cozinhar os vegetais chineses no vapor do caldo até ficarem macios, mas se preferir pode colocá-los para cozinhar no próprio caldo.

Enquanto o caldo ferve em fogo baixo, cozinhe os noodles em água fervente com sal, depois escorra-os e divida em quatro tigelas. Distribua nelas os vegetais, cubra com os peitos de frango fatiados e espalhe por cima de tudo a pimenta vermelha, o coentro e o shoyu. Prove e, se necessário, ajuste o sal. Despeje o caldo sobre o conteúdo de cada tigela e dê um toque final com suco de limão.

Sopa fusion de vieira, camarão e amêijoa com noodles, feijão-preto, coentro e lima

Para 4 pessoas

170 g de feijão-preto deixado de molho na noite anterior
1 litro de caldo de galinha ou peixe (veja página 224)
2 colheres (sopa) de gengibre fatiado bem fino
8 vieiras médias cortadas, com ovas dentro ou fora delas
8 – 12 camarões grandes, descascados, com a tripa preta removida do dorso
450 g de amêijoas vivas
450 g de noodles
1 punhado de salsa fresca ou manjericão fresco
2 bons punhados de coentro fresco
2 pimentas vermelhas (chilli) sem sementes e picadas bem fino
sal e pimenta-do-reino moída na hora
2 limas

Escorra o feijão da água em que ficou de molho. Cubra-o com água, leve ao fogo e, quando levantar fervura, abaixe a chama e deixe-o cozinhar até ficar tenro. Ponha o caldo no fogo e cozinhe em fogo baixo junto com o gengibre. Se você tiver o recipiente apropriado, cozinhe os frutos do mar no vapor do caldo; se não tiver, coloque-os em um recipiente para cozinhar a vapor com um pouquinho de água e leve ao forno na temperatura máxima por 5 a 10 minutos ou até que as conchas se abram.

Enquanto isso, cozinhe os noodles em água fervente com sal e depois escorra. Divida a massa em 4 tigelas fundas e espalhe sobre ela os frutos do mar, o feijão, as ervas aromáticas e a pimenta. Prove o tempero do caldo e sirva-o em um bule. Finalize com algumas gotas do suco de lima.

SALADAS E TEMPEROS

Por muito tempo as saladas têm sido pessimamente representadas neste país (N. do T.: A Grã-Bretanha), o que considero uma vergonha, porque eu as adoro! Então, vou tentar chamar a sua atenção para algo diferente. Muita gente não demonstra nenhum entusiasmo diante de uma insignificante salada, e por isso deixam de lado sua alface sem gosto mergulhada em um molho à base de água. Não se esqueça de que as folhas verdes são muito boas para você, então faça-se um favor procurando tornar as saladas uma presença regular em sua mesa. Aqui vai uma seleção de saladas e temperos originais tão rápidos e simples de fazer que você não terá dificuldades em preparar.

Use sempre no molho da sua salada um óleo de oliva comprovadamente bom. No fim do dia você vai ver que o que pagou pelo óleo de oliva é uma pechincha. A salada deve ser temperada na hora de ser levada à mesa, caso contrário ficará terrivelmente encharcada. Lembre-se de que molhos para saladas sempre ficam melhores se você os preparar na hora em que for usá-los, mas não vai ser o fim do mundo fazer uma quantidade maior e guardar na geladeira.

Salada de raiz

É uma das melhores saladas que você pode fazer. É mastigável, saborosa e realmente ótima quando servida com queijo, especialmente mussarela e ricota. Você precisará de iguais quantidades de cenouras, de preferência novinhas, funcho (erva-doce) e salsão (aipo). Para começar, lave as cenouras e corte-as em fatias de 10 cm de comprimento. Quanto mais finas as fatias, melhor.

Apare a parte de baixo do salsão e retire as partes duras externas. (Eu sempre descasco o salsão com um apetrecho especial para remover os pedaços fibrosos e depois os guardo para coisas como um ensopado.) Para esta salada, entretanto, você vai usar apenas os 10 cm da parte inferior do salsão incluindo a raiz. Essa parte tem um sabor e uma aparência completamente diferentes do restante do salsão – ela é branca, muito mais saborosa e sem fibras. Corte-a ao meio, de comprido, do mesmo jeito que se faz com o funcho, e depois fatie da raiz ao topo o mais finamente possível.

Adicione algumas ervas e molho de vinagre de vinho tinto (veja página 42) e misture muito bem. Esta é, provavelmente, a única salada que eu tempero poucos minutos antes de comer, para que os aromas incorporados acrescentem algo mais à salada.

Salada de beterraba com manjerona e molho de vinagre balsâmico

Procure beterrabas frescas, de preferência pequenas e de tamanhos parecidos. Ferva-as em água com sal até ficarem tenras (é quando você pode empurrar a pele da beterraba com o polegar). Escorra e deixe esfriar um pouco. Tire toda a pele com os dedos. Se a beterraba for bem pequena, apenas corte-a ao meio ou deixe-a inteira; corte as maiores em quatro partes.

Enquanto ainda está morna, tempere a salada de beterraba com molho de manjerona e vinagre balsâmico (veja na página 42). É muito bom servir à temperatura ambiente, apenas como salada ou como acompanhamento de peixe grelhado ou assado.

Salada de batata

Comece com 450 g de batatas (é importante que sejam novas e com tamanho similar, e você poderá raspá-las ou tirar a pele). Cozinhe as batatas em água fervente com sal. Trate de cozinhá-las perfeitamente. Espere só até o ponto em que, furada com a ponta de uma faca, esta apenas se desprenda da batata (cuidado, portanto: você não quer a batata crua, mas certamente também não vai querer que ela caia aos pedaços). Assim que as batatas estiverem cozidas, escorra-as e coloque em uma tigela. É importante acrescentar o tempero nesse momento, enquanto elas ainda estão soltando vapor: ao esfriar no molho, os aromas penetram nas batatas. Aqui estão três molhos que eu gosto de usar.

Batata com molho verde

Tudo que você tem de fazer é temperar as batatas com 2 colheres (sopa) de molho verde (veja na página 233).

Batata com óleo de oliva, limão e endro (dill)

Use molho de óleo de oliva e suco de limão (veja na página 42) e adicione alguns ramos de endro fresco picados grosseiramente, um pouco de sal e pimenta-do-reino moída na hora. (Em lugar do endro você pode usar hortelã fresca, salsa ou folhas de salsão – todas vão bem.)

Salada de batata com dente-de-leão e chalota

Use molho de óleo de oliva e suco de limão (veja na página 42), adicione folhas de dente-de-leão lavadas e picadas grosseiramente e a chalota bem picada. Tempere com sal e pimenta-do-reino moída na hora.

Batata com molho verde

Salada mista com tomates assados

Uma coisa realmente gostosa e interessante pode ser uma salada de várias verduras – alface, radicchio, rabanetes, funcho (erva-doce), salsão (aipo). Acrescente algumas ervas frescas, como manjerona, manjericão ou salsas. Depois de juntar tudo, misture tomates assados, para acentuar um pouco mais o sabor da salada. Tente obter tomates tipo italiano ou tomates-cereja maduros no ponto – deixe-os inteiros se forem pequenos ou então corte-os ao meio – e coloque-os em uma tigela. Acrescente um dente de alho pequeno e um pouco de tomilho fresco picados, um pouco de manjericão fresco picado, um pouco de orégano, que é brilhante, um fio de azeite de oliva, e complete com sal, pimenta-do-reino preta moída na hora e um toque de chilli seco (o fresco também fica bom). Coloque o conteúdo da tigela em uma assadeira e ponha para assar só até a cor dos tomates ficar mais viva, e depois tire-os da assadeira; leva mais ou menos uns 15 minutos em um forno bem quente. Deixe esfriar. Quando a salada estiver pronta, tempere-a com molho de óleo de oliva e suco de limão (veja na página 42) e espalhe os tomates assados sobre ela.

A verdadeira salada de tomate

Quando você comprar tomates, não compre os que estão fechados em belas embalagens – é preciso examiná-los, cheirá-los. O tomate deve ter cor bem vermelha e estar macio mas não mole. Hoje em dia é possível encontrar nos supermercados ótimos tomates vermelhos, amarelos ou de ambas as cores ao mesmo tempo, e todos eles podem ser usados para fazer esta salada.

Corte os tomates em fatias da espessura que você gosta e acomode-os em uma bandeja ou uma travessa. Pique bem fino um pouquinho de alho (só para dar um gostinho, porque ele é muito forte) e faça o mesmo com outro pouquinho de chalota ou de cebola roxa. Espalhe o alho e a cebola sobre os tomates. Polvilhe a salada com sal marinho, pimenta-do-reino moída na hora e orégano seco. Espalhe sobre tudo algumas folhas de manjericão rasgado, regue com um pouco de vinagre e bastante óleo de oliva extravirgem.

Salada de rabanete e funcho (erva-doce)

Salada de rabanete e funcho (erva-doce)

As quantidades dos ingredientes ficam por sua conta, mas eu uso duas partes de funcho para uma de rabanete. Quando comprar rabanetes, prefira os que estão realmente firmes. Os mais adultos, ovalados, são ótimos. Lave-os bem e corte em rodelas finas. Há dois tipos de funchos: um fino, alongado, e outro redondo, mais "corpulento". É este, de bulbo redondo, que você deve querer: são normalmente mais compactos, menos fibrosos e geralmente têm muito mais folhas, das quais você vai precisar.

Corte as folhas e o excesso de talos da parte superior do funcho e reserve. Apare a base do bulbo e descarte as folhas externas se elas estiverem um pouco duras. Corte o bulbo ao meio e fatie o mais finamente possível, no sentido da raiz à parte de cima. Ponha o funcho e os rabanetes em uma tigela e cubra com água fria, adicionando um pouco de gelo. Deixe por pelo menos 15 minutos para que o rabanete e a erva-doce fiquem realmente crocantes. Escorra bem, ponha em uma tigela e tempere com molho de óleo de oliva e suco de limão (veja na página 42). Pique as folhas do funcho reservadas e espalhe-as por cima. É ótimo com peixe grelhado.

Salada de endívia com molho de anchova e alcaparra

Quando trabalhei na França, todo dia tinha endívia no que eu comia. Ela estava dentro, fora ou do lado de qualquer maldito prato que eu fazia. Era servida crua, sem nenhum tempero, e por isso era amarga e repulsiva. Passei a odiar endívia depois dessa experiência. Mas aprendi, desde então, que o seu amargor funciona bem se ela for cozida ou temperada usando ingredientes com aroma e sabor marcantes – anchovas e limão são um exemplo perfeito. Acho que essa é uma salada de primeira classe, uma grande entrada.

Você precisa de 4 pés de endívias de bom aspecto (nada de folhas marrons). Corte cada um da raiz ao topo, depois em quatro e finalmente em oito. Lave em água fria, escorra e chacoalhe-as para enxugar. Usando um almofariz, soque 6 filés de anchova e 1 colher (sopa) de alcaparras (se quiser, pode cortá-las bem fininho). Ponha a mistura em uma tigela e adicione óleo de oliva e molho de suco de limão (veja na página 42 – mas não ponha nenhum sal neste caso, porque a anchova e a alcaparra já têm). Misture cuidadosamente e depois acrescente a endívia. Talvez seja necessário um pouco mais de suco de limão.

Salada de alcachofra e miolo de salsão com parmesão, limão e óleo de oliva

Comi essa salada pela primeira vez em um café na Itália. A apresentação não era lá essas coisas, mas o sabor era fantástico! A friabilidade do salsão e da alcachofra casava perfeitamente com o óleo de oliva e o suco de limão. Era muito agradável, e a riqueza das raspinhas do parmesão completava o conjunto.

Prepare duas alcachofras (veja na página 137), corte-as em fatias da raiz ao topo o mais finamente possível. Elimine os ramos externos, duros e fibrosos, de uma cabeça de salsão – use na salada somente 10 cm da parte inferior dos talos e guarde o restante para outros pratos, como os cozidos. Corte o salsão ao meio e cada parte em fatias bem finas, da raiz ao topo, aproveitando as folhas amarelas (as verdes são amargas, horríveis). Ponha as tirinhas de alcachofra e salsão em uma tigela e tempere-as com um pouco de sal. Acrescente óleo de oliva e molho de suco de limão (veja na página 42). Depois, usando o ralador apropriado, rale o parmesão em tiras compridas sobre a salada e borrife-a com algumas folhas amarelas de salsão picadas grosseiramente.

Prove – é possível que você precise de um pouco mais de suco de limão, que é o que faz a diferença.

Salada quente de radicchio, alface e pancetta

Use quantidades iguais de radicchio e alface. Apare as partes inferiores de ambos e remova as folhas externas, que não são muito boas. Corte o radicchio e a alface ao meio, e então, lembrando-se de que é a raiz branca que mantém as folhas unidas, separe cada metade do centro dela, deixando aproximadamente 1 cm de folhas presas por um pequeno pedaço da raiz. Lave os feixinhos com cuidado em água fria, escorra, chacoalhe ou bata de leve para ficarem secos e coloque-os em uma tigela.

Frite algumas tiras de panceta ou de bacon até ficarem coradas e crocantes. Tempere a salada com molho de óleo de oliva e suco de limão ou com molho de ervas aromáticas com vinagre de vinho tinto (veja na página 42). Tire a pancetta da panela com uma escumadeira funda e espalhe-a sobre a salada.

Salada de alcachofra e miolo de salsão com parmesão, limão e óleo de oliva

Salada de espinafre, ervilha fresca e queijo feta

Salada de espinafre, ervilha fresca e queijo feta

Você vai precisar de dois grandes punhados de espinafre novo. Elimine os ramos de má aparência ou envelhecidos, depois dê uma boa lavada (ninguém gosta de espinafre com areia) e chacoalhe-o para eliminar a água. Em uma saladeira coloque 2 punhados pequenos de ervilhas frescas (a menos que você tenha a sorte de encontrar ervilhas jovens, macias, você precisará escaldá-las em água fervente sem sal e deixá-las esfriar). Tempere a salada na hora de servir com molho de óleo de oliva e suco de limão (veja na página 42) e espalhe sobre ela o queijo feta (N. do T.: Queijo de origem grega, branco, feito com leite de cabra) esmigalhado.

Salada de fava, aspargo e vagem com molho de mostarda

Para fazer esta salada você vai precisar de quantidades iguais de favas, aspargos e vagens. Depois de debulhar as favas, separe os grãos: os menores podem ser comidos crus e os maiores precisam ser levemente aferventados. Se os grãos forem grandes, com película endurecida, use água fervente sem sal (o sal endurece as películas da fava). Se você achar que as películas são um pouco duras demais, simplesmente remova-as depois de aferventar os grãos de fava. Apare a base dos aspargos (tente escolher os mais novos) e retire a película externa deles, de baixo para cima. Escolha as vagens e remova as extremidades duras.

Ferva as vagens até ficarem tenras e faça o mesmo com os aspargos. Tempere a salada com molho de mostarda (veja na página 43), de preferência enquanto os aspargos, as vagens e as favas ainda estiverem quentes.

Salada verde

Eu gosto de incluir rúcula, espinafre, um pouco de alface rasgada, folhas de mostarda e de funcho (erva-doce) bem picadas. Apenas duas, três ou então todas essas verduras juntas dão uma salada interessante. Tempere no último minuto antes de servir com molho de manjerona e vinagre balsâmico, molho de óleo de oliva e limão ou molho de ervas aromáticas e vinagre de vinho tinto (veja na página 42).

MOLHOS

Molho de vinagre de vinho tinto e ervas

Para 4 pessoas
2 colheres (sopa) de vinagre de vinho tinto
5 colheres (sopa) do melhor óleo de oliva
1 colher (chá) rasa de sal
1 colher (chá) rasa de pimenta-do-reino moída na hora
1 colher (sopa) cheia de manjerona fresca picada
1 colher (sopa) cheia de manjericão fresco picado
1 colher (sopa) cheia de salsa fresca picada
3 colheres (sopa) de chalota bem picada

Misture todos os ingredientes, adicionando as chalotas por último.

Molho de óleo de oliva e suco de limão

Para 4 pessoas
2 colheres (sopa) de suco de limão
5 colheres (sopa) de óleo de oliva
1 colher (chá) rasa de sal
1 colher (chá) rasa de pimenta-do-reino moída na hora

Misture todos os ingredientes.

Molho de manjerona e vinagre balsâmico

Para 4 pessoas
2 colheres (sopa) de vinagre balsâmico (se for um vinagre muito bom, basta 1 colher)
5 colheres (sopa) de óleo de oliva
1 colher (chá) de pimenta-do-reino moída na hora
3 colheres (sopa) cheias de manjerona fresca picada

Misture todos os ingredientes.

Molho de mostarda

Para 4 pessoas
1 colher (sopa) cheia de mostarda Dijon ou de mostarda em grão
2 colheres (sopa) de suco de limão espremido na hora ou vinagre balsâmico
5 colheres (sopa) de óleo de oliva
1 colher (chá) de pimenta-do-reino moída na hora

Misture todos os ingredientes.

Molho de anchova e alcaparra

Para 4 pessoas
2 colheres (sopa) de suco de limão espremido na hora
5 colheres (sopa) de óleo de oliva
1 colher (chá) de pimenta-do-reino moída na hora
6 filés de anchova, picada ou triturada
1 colher (sopa) de alcaparras pequenas, picadas ou esmagadas

Misture todos os ingredientes em uma tigela. Não use sal, porque as anchovas e as alcaparras já têm.

Molho de mel, mostarda em grão e alho

Para 4 pessoas
½ colher (chá) de alho picado ou socado
1 colher (sopa) de mel da sua preferência
1 colher (sopa) de mostarda em grão
2 colheres (sopa) de suco de limão
5 colheres (sopa) de óleo de oliva

Misture todos os ingredientes.

Pappardelle, tagliatelle e talharim

MASSA

Meu fascínio pelas massas começou no Westminster College. Lá havia uma mistura realmente cosmopolita de estudantes – muitos deles eram bolsistas estrangeiros – o que era bastante interessante, porque cada um tinha uma história para contar a respeito da culinária que os havia feito crescer. Um dos meus melhores companheiros foi Marco, que tinha pais italianos mas fora criado em Londres. Ele era realmente um bom sujeito, apaixonado pela cultura da Itália, por sua culinária e, você adivinhou, pelas massas! Eu não sei se ele sabe disso, mas foi ele quem me iniciou nessa minha obsessão. Comecei a ler a respeito de massas e comprei meu primeiro livro de massas italianas. Fui fisgado. Tudo sobre o assunto era como uma aventura; os formatos, tamanhos e cores eram ilimitados, e fiquei querendo aprender o que pudesse. Desde então, fico encantado com a versatilidade da massa, mas essa é uma daquelas coisas das quais você nunca vai conhecer tudo, por isso estou sempre praticando e colecionando dicas de diversas fontes.

E a massa seca, o que posso dizer dela? Qualquer um tem esse tipo de massa no armário, e os italianos a têm na mais alta consideração. Além de ser muito conveniente, a massa seca permite ser cozida al dente, o que é ótimo, e é sempre boa com peixe ou mariscos.

COMO FAZER MASSA

Quero que você faça a sua massa. É muito rápido e simples de fazer; e é alguma coisa que o deixará orgulhoso de você mesmo. Abaixo, duas massas que eu faço em casa. Os ingredientes são ligeiramente diferentes, mas o método é o mesmo e você pode prepará-las com as mãos ou com uma batedeira. Mas lembre-se: as quantidades de farinha e ovos podem variar ligeiramente. Assim, se você achar que a massa está um pouco úmida ou grudenta, ponha um pouco mais de farinha; se estiver seca demais, acrescente ovo. Eu sempre faço uma grande quantia de propósito, depois eu a seco e guardo em um recipiente hermeticamente fechado.

Receita de massa rápida para todo dia

Para 4 pessoas

500 g de farinha de trigo duro
5 ovos frescos, grandes
semolina para polvilhar

Receita de massa especial

Para 4 pessoas

150 g de farinha de trigo duro
350 g de semolina
2 ovos grandes
9 – 10 gemas de ovos grandes
semolina para polvilhar

Como fazer (as duas massas)

Fazer pasta não é nenhum pesadelo – é só uma questão de amassar farinha com ovos, nenhum grande problema. Você não precisa pôr óleo nem sal, isso é uma falácia industrial. O essencial, porém, é utilizar ovos bem frescos, uma boa e fina farinha de trigo duro e semolina. E então nós amassamos esses ingredientes até a massa ficar homogênea, fina e com textura sedosa, trabalhando o necessário para desenvolver e fortalecer a estrutura do glúten para que a massa ganhe elasticidade.

Se você estiver fazendo a massa com as mãos, use uma superfície limpa ou uma tigela. O processo inteiro leva 5 minutos. Uma batedeira faz tudo em menos tempo ainda – rápido, não?

A massa, por etapas

Etapa 1 – com as mãos Faça uma cavidade no centro da farinha e despeje nela os ovos (e as gemas adicionais, se você estiver usando a receita especial de ingredientes). Com um garfo, vá quebrando os ovos com cuidado e comece a misturar a partir das bordas da cavidade. Quando começar a formar uma pasta meio mole, passe a usar as mãos. Trabalhe forte por cerca de 3 minutos ou até ficar macia, sedosa e elástica. Embrulhe-a com filme e deixe descansar por 60 minutos na geladeira.

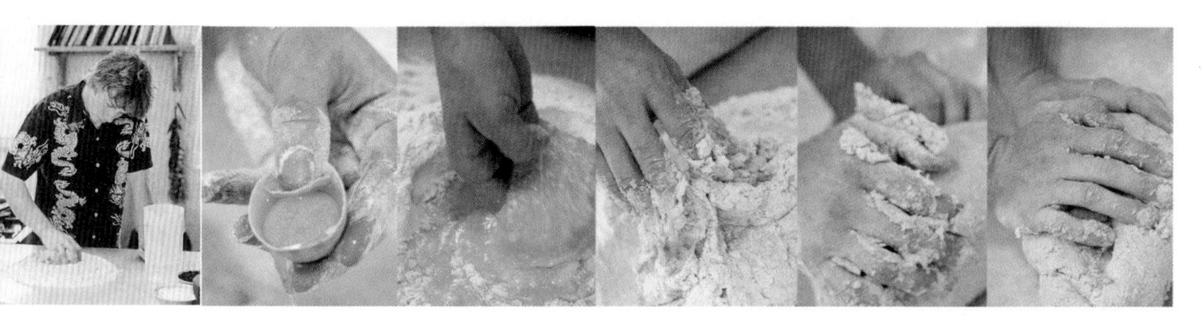

Etapa 1 – com a batedeira Use o gancho especial para massa. Ponha a farinha e os ovos e bata em velocidade média por 3 minutos ou até a massa ficar firme. Tire-a da batedeira e termine de amassar com as mãos, durante 1 minuto ou até que fique macia, sedosa e elástica. Embrulhe-a com filme e deixe descansar por 60 minutos na geladeira.

Etapa 1 – com o processador Ponha os ingredientes dentro dele e ligue. Em 30 segundos, você verá algo parecido como migalhas de pão pastosas. Deixe bater por mais algum tempo para trabalhar o glúten. As migalhas vão começar a se aglutinar, formando bolas de massa. Tire tudo do processador, coloque numa tigela (que precisa estar limpa) e trabalhe com as mãos por 2 minutos ou até a massa ficar sedosa, macia e elástica. Embrulhe-a com filme e deixe descansar por 60 minutos na geladeira.

Como laminar a massa

Etapa 2 – com um rolo de massa Tire a massa da geladeira e divida-a em 2 bolas. Cubra uma das bolas e, com a palma da mão, achate bem a outra. Polvilhe farinha sobre uma superfície limpa e, usando o rolo, comece a esticá-la, sempre rolando para fora, polvilhando e mudando a direção do rolo em 90°. Repita a operação até obter uma folha de 1 – 2 mm de espessura, dependendo da massa que você for fazer.

Ajuda muito se você tiver um rolo comprido, liso e pesado. Quando esticar a folha de massa, tente deixá-la no formato de um quadrado, embora isso não seja o mais importante.

Etapa 2 – com a máquina Tire a massa da geladeira e divida-a em 4 bolas. Cubra 3 bolas e trabalhe uma de cada vez. Achate a bola com a base da palma da mão e passe-a pelo cilindro mais grosso da máquina. O resultado será uma folha grossa. Eu costumo dobrá-la ao meio e passá-la pelo cilindro mais grosso 3 ou 4 vezes, o que faz com que as bordas da folha se distendam ocupando toda a largura da máquina. Então eu polvilho os dois lados da massa com farinha e passo-a pelo cilindro mais fino. Repito a operação até que as folhas fiquem com 1 – 1,5 mm de espessura. Com a máquina você pode fazer folhas muito mais finas do que com a mão.

Usar a máquina pode ser complicado, mas vale a pena. Por isso, seja perseverante. A máquina custa mais ou menos £ 25 (N. do T.: Aproximadamente R$ 100,00), mas dura para sempre. Quando você dominá-la vai ver que consegue fazer a quantidade de massa de que precisa num estalar de dedos – mais rápido do que ir até o supermercado.

1. Passe a massa pelo cilindro mais grosso da máquina.

3. Repita a operação até a folha ficar com 1 – 1,5 mm de espessura.

2. Dobre ao meio e passe a massa pela máquina.

4. Com a máquina você pode obter folhas de massa muito mais finas do que com a mão.

VARIAÇÕES (PARA AS DUAS RECEITAS)

Massa com ervas

Adicione 4 bons punhados de ervas frescas bem picadas (uma ou mais variedades de ervas). Proceda como na receita básica.

Massa com beterraba

Finalmente eu consegui descobrir o que fazer com a beterraba pré-cozida que a gente compra no supermercado. Elimine 2 dos ovos da receita básica e substitua com quantidade aproximada de beterraba amassada. Talvez você precise de um pouco mais de farinha para conseguir que a massa fique lisa, sedosa e elástica.

Massa com espinafre

Elimine 2 ovos inteiros da receita básica e adicione aproximadamente 300 g de espinafre, aferventado, espremido (use um guardanapo limpo para fazer isso) e picado bem fininho ou amassado. Talvez seja necessário acrescentar farinha para que a massa fique lisa, sedosa e elástica.

Massa com pimenta

Adicione 1 colher (sopa) rasa de pimenta-do-reino moída na hora. Proceda como na receita básica.

PAPPARDELLE, TAGLIATELLE, TALHARIM

Até onde sei, os três fazem parte da mesma família e são, provavelmente, as massas que eu mais freqüentemente faço em minha casa. Geralmente procuro fazer a massa mais grossa para o pappardelle (cerca de 1,5 mm de espessura), porque acho que é um tipo de massa mais robusta. O tagliatelle e o talharim eu faço normalmente com massa de cerca de 1 mm de espessura.

Seguindo a receita básica você vai obter algumas lâminas de massa. Não se aborreça por ter que aparar algumas bordas ou cantos; simplesmente corte as lâminas em pedaços de aproximadamente 20 cm de comprimento. Enrole-os depois de muito bem polvilhados, dos dois lados, com uma generosa quantidade de semolina ou farinha.

Se você estiver usando a máquina, passe a massa pelos cortadores. Eu prefiro cortar manualmente, assim as tiras não ficam perfeitas e uniformes.

Pappardelle

Corte a massa enrolada em tiras de aproximadamente 4 cm de largura.

Tagliatelle

Corte a massa enrolada em tiras de aproximadamente 2 cm de largura.

Talharim

Corte a massa enrolada em tiras de aproximadamente 1 cm de largura.

Depois de cortar a massa na largura desejada, movimente as tiras jogando-as para cima e chacoalhando-as com cuidado para separá-las e remover o excesso de farinha. Depois, coloque-as em uma bandeja. A massa pode ser cozida em seguida ou 3 a 4 horas depois, se você cobri-la na bandeja com um pano úmido muito bem torcido. Você pode também secar a massa por 3 a 4 horas e guardá-la em um recipiente hermeticamente fechado. Assim ela pode durar pelo menos 2 meses.

Pappardelle com cogumelos secos e molho de tomilho, tomate e mascarpone

A simples adição de cogumelos secos porcini e tomilho pode transformar o molho de tomate comum em algo muito mais interessante.

Para 4 pessoas
50 g de cogumelos porcini secos
1 colher (sopa) de óleo de oliva
1 dente de alho picado bem fino
1 bom punhado de tomilho picado
¾ de receita de molho de tomate (veja na página 237)
2 colheres (sopa) de mascarpone
sal e pimenta-do-reino moída na hora
450 g de pappardelle (veja receitas básicas na página 47)
queijo parmesão fresco ralado

O cogumelo porcini pode ser encontrado em supermercados. Na hora de comprar, escolha os cogumelos com boa aparência e bem formados – evite pacotes com cogumelos fragmentados ou que contenham sujeira. Ponha os cogumelos secos em uma tigela pequena e adicione cerca de 280 ml de água fervente, de modo que todos fiquem cobertos, e deixe-os por 10 a 15 minutos.

Ponha o óleo de oliva e o alho em uma panela meio aquecida e deixe fritar sem dourar o alho. Retire os cogumelos da tigela e reserve a água do molho. Dê umas sacudidelas para eliminar o excesso de água e coloque-os na panela junto com o tomilho – tenha cuidado, porque ele espirra um pouco. Mexa e deixe fritar. Quando o alho começar a dourar, acrescente devagar a água em que os cogumelos ficaram de molho. Para evitar que restos de cogumelo caiam na panela, aproveite somente os primeiros 3/4 da água. Ponha os cogumelos para cozinhar em fogo bem baixo e depois adicione o molho de tomate (é um ótimo molho, substancial, cheiroso e saboroso). Junte o mascarpone e prove o tempero.

Enquanto isso, cozinhe al dente o pappardelle em água fervente com sal. Adicione o molho e mexa, jogando as tiras para cima. Sirva imediatamente polvilhado com parmesão.

Pappardelle com cogumelos

Atualmente parece que temos cada vez mais cogumelos silvestres nos supermercados. Nem sempre são armazenados e apresentados como penso que deveriam ser – não gosto de cogumelos transpirando dentro de embalagens plásticas – mas acho que as coisas estão melhorando. Mesmo sendo chefe de cozinha, surpreende-me ver pés de carneiro, girolles e trompettes des morts, aparecendo de repente o ano inteiro, da mesma forma que os mais previsíveis blewits. (N. do T. Aqui, os mais tradicionais são o cogumelo de Paris ou chanterelle, o funghi porcini, o shiitake e o shimeji, e outros menos populares, como o girolle ou amarelo, o enoki, o cogumelo marrom ou castanha, entre outros. O blewitt não se encontra fresco com facilidade, mas talvez pré-cozido em conserva. O cogumelo trompettes des morts ou craterellus e o cogumelo-ostra ou pleurotus também não são encontrados frescos facilmente.)

Para 4 pessoas

250 a 300 g de cogumelos (compro uns 400 g porque é preciso apará-los)
3 colheres (sopa) de óleo de oliva
1 dente de alho cortado bem fino
1 ou 2 pequenas pimentas vermelhas (chilli) trituradas ou bem picadas
sal e pimenta-do-reino moída na hora
suco de ½ limão
450 g de pappardelle (veja receitas básicas de massa na página 47)
1 pequeno punhado de queijo parmesão ralado
1 punhado de salsa fresca cortada grosseiramente
50 g de manteiga sem sal

Elimine qualquer sujeira dos cogumelos com uma escovinha para massa ou um pano de cozinha. Corte os cogumelos em fatias bem finas (mas só ao meio os girolles, chanterelles e blewits). Ponha o óleo de oliva em uma frigideira bem quente e adicione os cogumelos. Deixe-os fritar, depois acrescente o alho, a pimenta chilli e uma pitada de sal (é muito importante temperar os cogumelos levemente, para que eles revelem o seu sabor). Continue a fritar por mais 4 a 5 minutos. Depois desligue o fogo e borrife os cogumelos com o suco de limão. Mexa e acerte o sal e a pimenta a seu gosto.

Enquanto isso, cozinhe a massa em água fervente com sal até ficar al dente. Ponha a massa no recipiente com os cogumelos, o queijo parmesão, a salsa e a manteiga. Mexa com cuidado. Sirva polvilhado com uma pequena quantidade extra de salsa e queijo parmesão.

Pappardelle com alho-poró e mascarpone

Quando for comprar alho-poró, procure os de tamanho médio para baixo, porque são mais suaves e mais tenros.

Para 4 pessoas
1 pequena bolota de manteiga
1 colher (sopa) de óleo de oliva
4 alhos-poró médios, aparados, lavados e fatiados em ângulo
1 dente de alho bem picadinho
sal e pimenta-do-reino moída na hora
200 g de mascarpone
450 g de pappardelle (veja receitas básicas na página 47)
queijo parmesão ralado

Ponha a manteiga e o óleo de oliva em uma panela semi-aquecida, adicione o alho-poró e o alho, uma pitada de sal e refogue sem deixar dourar por uns 5 a 10 minutos com a panela tampada, até que o alho-poró fique tenro e suave. Adicione o mascarpone, deixe que se misture sem pressa ao alho-poró, criando um molho pouco grosso. Prove, ajuste de sal se necessário e adicione pimenta-do-reino.

Enquanto isso, cozinhe a massa em água fervente com sal até ficar al dente. Escorra e despeje devagar no molho (se achar que o molho está grosso, adicione um pouco da água em que cozinhou a massa). O molho deve recobrir perfeitamente o pappardelle. Sirva polvilhado com o parmesão.

Tagliatelle com abobrinha, limão e manjericão

Este prato de massa é leve e aromático, que se faz muito rapidamente usando abobrinhas novinhas e firmes, que não precisam ser extremamente cozidas. A idéia é fatiá-las o mais finamente possível.

Para 4 pessoas

4 colheres (sopa) de óleo de oliva
1 dente de alho bem picadinho
8 a 9 abobrinhas pequenas e bem firmes
suco de 1 limão
1 bom punhado de manjericão fresco picado
450 g de tagliatelle (veja receitas básicas na página 47)
sal e pimenta-do-reino moída na hora
90 g de queijo parmesão ralado

Ponha o óleo de oliva e o alho em uma panela semi-aquecida e frite por cerca de 30 segundos sem deixar dourar. Adicione então a abobrinha e mexa suavemente. Depois de 2 minutos, borrife com o suco do limão, junte o manjericão, e cozinhe por um pouco mais de tempo.

Enquanto isso, cozinhe o tagliatelle al dente em água fervente com sal, escorra e junte-o à abobrinha para que mesclem seus sabores. Ajuste o sal se necessário e adicione a pimenta-do-reino e o queijo parmesão para que todos os sabores se misturem – para isso, talvez você precise de um pouco mais de óleo de oliva. Sirva salpicado com um pouco de manjericão rasgado e de parmesão.

Tagliatelle de beterraba com pesto, mexilhões e vinho branco

Eu aprendi esta receita com um amigo italiano que vive em Florença. As cores são muito interessantes e os mexilhões e o pesto funcionam surpreendentemente bem juntos, razão pela qual vale a pena tentar. E também porque é rápido de fazer.

Para 4 pessoas
3 colheres (sopa) de óleo de oliva
450 g de mexilhões frescos, vivos (lavados, limpos e aparados)
1 dente de alho fatiado bem fino
150 ml de vinho branco seco
1 pedaço pequeno de manteiga
2 bons punhados de salsa picada grosseiramente
450 g de tagliatelle de beterraba (veja receitas básicas e variações nas páginas 47 a 53)
sal e pimenta-do-reino moída na hora
pesto (veja na página 232)

Ponha o óleo de oliva em uma panela de bordas altas bem quente e em seguida os mexilhões e o alho. Tampe e chacoalhe a panela por cerca de 20 segundos – ela vai chiar furiosamente. Adicione então o vinho branco, tampe novamente e deixe em fogo vivo por 1 ou 2 minutos para que os mexilhões se abram (descarte os que eventualmente não abrirem). Acrescente a manteiga e a salsa e tire do fogo.

Enquanto isso, cozinhe o tagliatelle em água fervente com sal até ficar al dente. Misture cuidadosamente o tagliatelle com os mexilhões até que o molho recubra toda a massa. Prove, ponha mais sal se necessário e a pimenta-do-reino moída. Sirva com uma generosa colherada de pesto por cima.

Tagliatelle com ervilhas, favas, creme de leite e parmesão

Para 4 pessoas
150 g de ervilhas frescas
150 g de favas (grãos), o mais frescas possível
2 colheres (sopa) de óleo de oliva
1 dente de alho
200 ml de creme duplo (creme de leite com teor médio de gordura)
1 pequeno punhado de hortelã
150 g de queijo parmesão
sal e pimenta-do-reino moída na hora
450 g de tagliatelle (veja receitas básicas na página 47)

Ante de mais nada, descasque as ervilhas e as favas. Se as ervilhas forem bem novinhas, não se preocupe em aferventá-las, mas se são um pouco duras deixe-as em água fervente com sal até ficarem tenras. Faça o mesmo com as favas e, se você achar que as películas dos grãos maiores estão endurecidas, remova-as depois de aferventar. Pegue metade das ervilhas e das favas e esmague, corte ou bata em um processador até obter um creme meio homogêneo.

Ponha o óleo de oliva e o alho em uma panela semi-aquecida. Refogue por alguns segundos sem deixar que o alho doure. Adicione o creme de ervilhas e favas. Mexa por cerca de 1 minuto e então acrescente o creme duplo e o restante das ervilhas e favas. Misture a hortelã e leve à fervura. Adicione então metade do queijo parmesão, prove, ajuste o sal se necessário e a pimenta-do-reino.

Enquanto isso, cozinhe o tagliatelle em água fervente com sal até ficar al dente. Misture-o bem ao molho. Sirva polvilhado com um pouco a mais de parmesão.

Talharim na manteiga com vieiras salteadas, vinho branco, chilli e salsa

Este prato leva apenas alguns minutos para ficar pronto. Deixe tudo preparado e então comece. Tome cuidado para não cozinhar demais as vieiras.

Para 4 pessoas
12 vieiras com ou sem as ovas, como você preferir
1 colher (sopa) de óleo de oliva
1 dente de alho descascado e picado bem fino
2 pimentas vermelhas (chilli) médias/grandes, sem sementes e bem picadas
2 copos de vinho branco
450 g de talharim (veja receitas básicas na página 47)
1 bom punhado de salsa picada grosseiramente
50 a 80 g de manteiga
sal e pimenta-do-reino moída na hora

Acomode cada vieira em uma tábua de cozinha, com o lado achatado para baixo, e corte ao meio. Em uma panela aquecida, ponha o óleo de oliva, as vieiras, o alho e a pimenta. Assim que as vieiras dourarem de um lado, despeje o vinho e deixe-o reduzir lentamente.

Enquanto isso, cozinhe o talharim em água fervente com sal até ficar al dente. Junte a massa às vieiras com a salsa e a manteiga e tire do fogo. Mexa e tempere com sal e pimenta-do-reino. Sirva.

Talharim com salmonete cozido na panela, tomates secos, chilli, salsa e azeitonas pretas

Para 4 pessoas

6 colheres (sopa) de óleo de oliva
4 filés de salmonete, de mais ou menos 170 a 225 g cada um, escamados e sem espinhas
2 pimentas vermelhas (chilli) médias/grandes, frescas, sem sementes e fatiadas bem fino
1 dente de alho fatiado bem fino
1 punhado de tomates secos cortados grosseiramente
1 bom punhado de suas azeitonas pretas preferidas
1 copo de vinho branco
450 g de talharim (veja receitas básicas na página 47)
sal e pimenta-do-reino moída na hora
1 bom punhado de salsa bem picada
um pouco de óleo extravirgem de oliva

Ponha o óleo de oliva em uma panela de fundo grosso moderadamente aquecida e adicione o salmonete com o lado da pele para cima. Junte a pimenta vermelha, o alho, os tomates secos e as azeitonas. Frite por 2 minutos sem deixar o alho dourar. Acrescente então o vinho branco, tampe a panela e faça cozinhar por mais 3 minutos.

Enquanto isso, cozinhe o talharim em água fervente com sal até ficar al dente. Empurre o salmonete para um lado, incline a panela para que o molho se junte do lado oposto, e despeje tudo no talharim. Quando a massa e o molho estiverem bem misturados, tempere com o sal e a pimenta-do-reino e adicione a maior parte da salsa. Sirva salpicado com o restante da salsa e um borrifo de óleo extravirgem de oliva.

RAVIÓLI

Na Grã-Bretanha, o raviόli tem sido visto apenas como uma massa recheada com carne picadinha e coberta com molho de tomate – um lanche rápido entre as refeições, algo para fazer o aquecimento quando você está disposto a cozinhar mais algumas coisas. Mas o ravióli é muito mais do que isso. Ele é uma coisinha sexy especial, é como um pequeno presente, mas tem que ser um belo presente, se é que você me entende. O que estou tentando dizer é que, depois de todo o trabalho que vai ter fazendo a sua própria adorável massa, é preciso que ela tenha um recheio fresco e de primeira classe. Há muitos tipos de ravióli, com sabores que podem ser fortes, leves ou aromáticos; basta você ter bom gosto na hora de escolher, usando os melhores ingredientes da estação. Na Itália, o ravióli é uma iguaria: regiões, cidades e restaurantes podem ficar famosos pelo formato e tamanho do seu ravióli.

A coisa mais importante é que ele precisa ser completamente vedado. Se as bordas não estiverem bem fechadas ou aparecerem rachaduras na massa (o que pode acontecer quando se usa um recheio difícil de cobrir e fechar), a água fervente pode penetrar no ravióli arruinando o seu delicioso recheio.

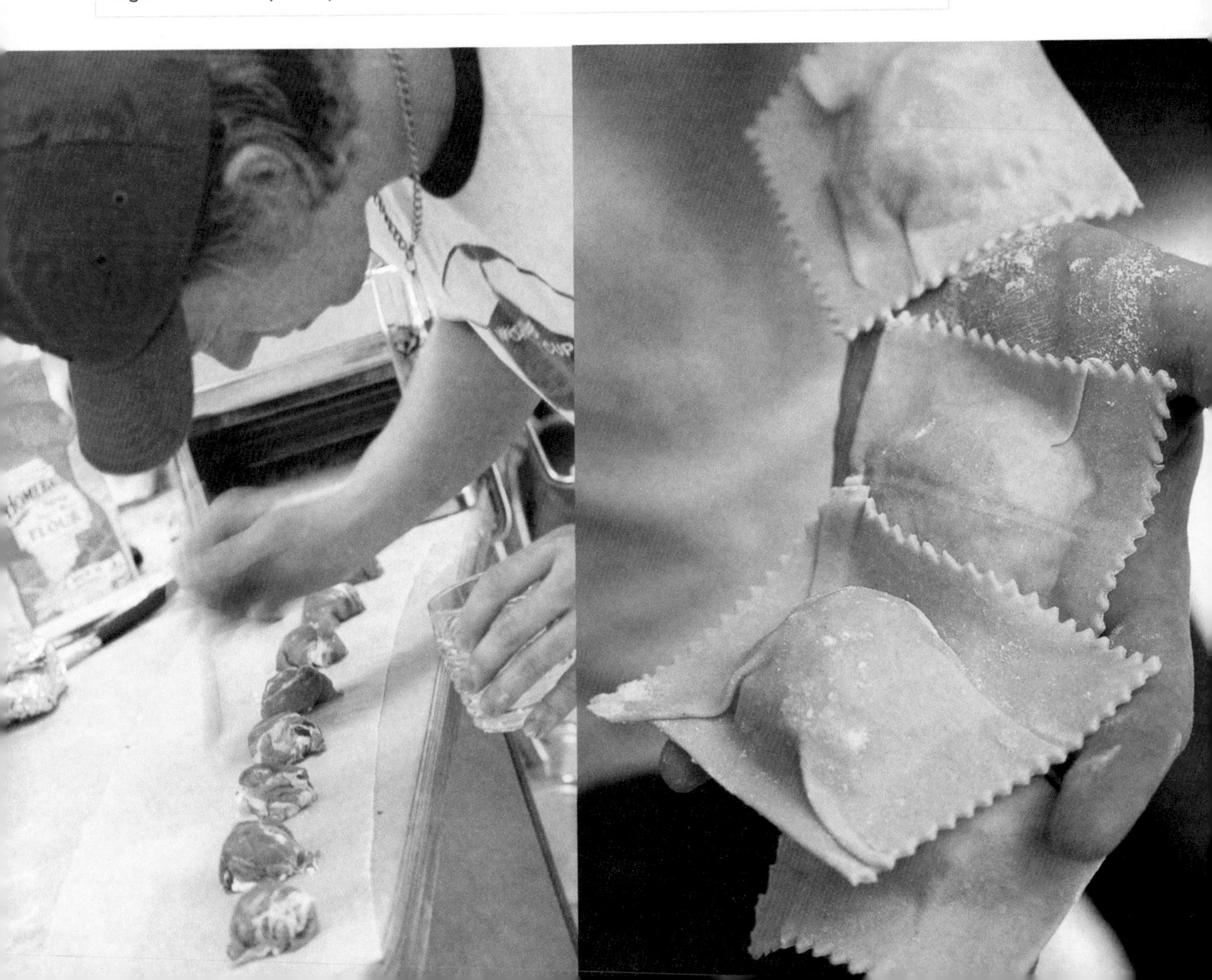

Como fazer ravióli

Estique várias folhas de massa, até ficar com mais ou menos 1 mm de espessura, e faça com elas pequenas quantidades de ravióli (4 ou 5 de uma vez), deixando as demais folhas cobertas com um pano úmido. Eu normalmente faço ravióli com cerca de 7 cm x 7 cm. Se suas folhas de massa forem feitas com máquina, elas devem ficar com 10 cm de largura, o que lhe dará uma margem extra para moldar o ravióli com seu recheio e depois aparar a sobra. Acomode a massa em uma superfície plana bem polvilhada com farinha e coloque uma boa colherada de recheio no meio da folha em uma das extremidades. Repita a operação ao longo da massa, deixando 5 cm de espaço entre uma porção de recheio e outra. Depois, usando um pincel para massa limpo e um pouco de água (nada de ovos; eu não sei quem inventou isso, é uma idéia horrorosa), pincele a massa suavemente. (É a água que vai fazer a massa grudar, e o bom senso ensina que, se essa operação não for feita corretamente, você não poderá fechá-la como é preciso.) Ponha outra folha de massa de tamanho similar em cima da primeira.

Neste ponto você precisa de um toque suave (cuidado com as unhas compridas e os anéis): com o polegar ou a base da palma da mão, pressione suavemente a massa ao longo das bordas. Começando por uma das bordas, com o lado externo da mão correspondente ao dedo mínimo empurre a massa para uma extremidade; depois curve ligeiramente os dedos e a palma da mão ao redor do recheio e, com a mão côncava, pressione suavemente o outro lado do recheio. (Isso parece pura tagarelice, mas não é não. Toma apenas alguns segundos e é um jeito muito eficiente de extrair todo o ar, garantindo que o ravióli esteja hermeticamente fechado.) Repita a operação ao longo da massa, assegurando-se de que não há furos na superfície dela. Por fim, apare e corte o ravióli no formato desejado com faca ou carretilha.

Agora que você já fez o ravióli pode cozinhá-lo imediatamente, em geral por 3 a 4 minutos em água com sal levemente fervente. Ou, se quiser comer mais tarde, pode guardá-lo cru na geladeira por 3 a 4 horas em uma bandeja bem polvilhada com semolina.

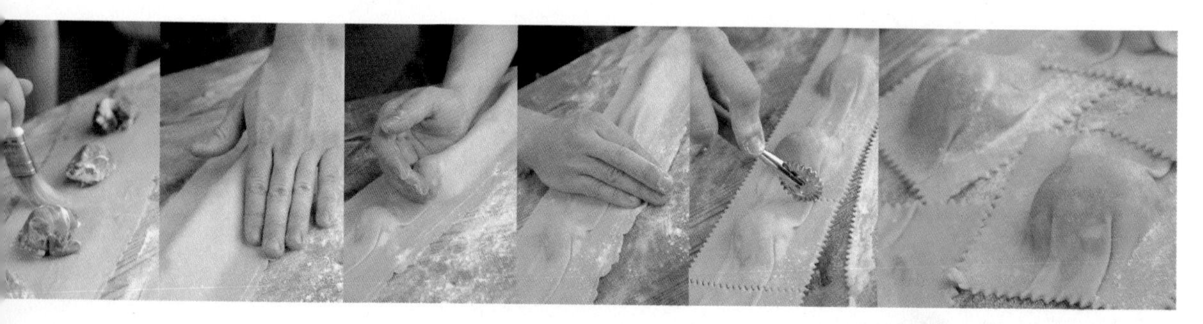

Ravióli com presunto, tomates secos, manjericão e mussarela

Temo que esta seja uma combinação óbvia mas, como é rápida e boa demais, procure fazê-la. O segredo, como sempre, é usar os melhores ingredientes, especialmente a mussarela mais fresca possível.

Para 4 pessoas

1 punhado de queijo parmesão ralado bem fino
1 bom punhado de manjericão fresco rasgado
12 tomates secos picados grosseiramente
2 bolas de mussarela de búfala cortadas grosseiramente
sal e pimenta-do-reino moída na hora
10 fatias de presunto sem a gordura
450 g de massa básica (veja receita na página 47)
óleo de oliva
porção extra de manjericão e parmesão para servir

Ponha o parmesão, o manjericão, os tomates secos e a mussarela em uma tigela, misture e tempere. Corte as fatias de presunto ao meio. Coloque uma colher (sopa) cheia do recheio misturado em uma das extremidades do pedaço de presunto, dobre dos lados e depois enrole até fechar o recheio. Repita a operação com o restante do recheio e do presunto – você deverá obter cerca de 20 trouxinhas de presunto e recheio. Recheie os ravióli (veja na página ao lado) e cozinhe-os em água fervente com sal por cerca de 3 a 4 minutos, até ficarem tenros. Escorra com muito cuidado.

Sirva salpicado com óleo de oliva, pimenta-do-reino, queijo parmesão ralado na hora e manjericão rasgado.

Ravióli de borragem, urtiga, manjerona e ricota fresca

É uma receita deliciosa e você precisa tentar fazê-la. Quando novas, as folhas de borragem e urtiga picadas (com um par de calêndulas fica melhor ainda), lavadas e mergulhadas em água fervente com sal, perdem sua ardência – ficam parecidas com espinafre, mas conservam a maior parte do seu formato e da sua textura. Picadas e fritas devagar com manteiga, manjerona e alho, as folhas de urtiga são excelentes. (N. do T.: Essas folhas talvez possam ser encontradas em estabelecimentos especializados.)

Para 4 pessoas
2 bons maços de folhas novas de urtiga
2 bons maços de folhas novas de borragem
2 colheres (sopa) de óleo de oliva
1 pedaço de manteiga
1 dente de alho cortado
1 punhado de manjerona fresca picada
sal e pimenta-do-reino moída na hora
noz-moscada ralada na hora
400 g de ricota
100 g de queijo parmesão
450 g de massa básica (veja receita na página 47)
manteiga e parmesão extras para servir

Depois de picar cuidadosamente as folhas de urtiga e de borragem, lave-as bem e mergulhe-as em água fervente com sal por 30 segundos. Elas murcharão e perderão a ardência. Depois, passe-as pelo escorredor e elimine qualquer excesso de água, espremendo-as em um pano de cozinha limpo. Corte as folhas grosseiramente e coloque-as em uma panela semi-aquecida junto com o óleo de oliva, a manteiga, o alho e a manjerona. Deixe cozinhar em fogo baixo, temperando a seu modo e adicionando a noz-moscada. Depois de uns 2 minutos tire do fogo e deixe esfriar.

Assim que a borragem e a urtiga estiverem frias, adicione a ricota, termine de temperar e mexa com cuidado. Recheie o ravióli (veja na página 65) e cozinhe-o em água fervente com sal por 3 a 4 minutos, até ficar tenro. Sirva 3 ou 4 raviólis por pessoa, com um pouco de manteiga e de parmesão ralado por cima. Eu gosto de picar as flores púrpuras da borragem, fritá-las bem em manteiga clarificada (veja na página 227) e espalhá-las sobre a massa antes de servir.

Ravióli com favas despedaçadas, hortelã e ricota

Para 4 pessoas

250 g de favas descascadas (e mais uma quantidade extra para guarnecer)
1 pequeno punhado de hortelã picado
1 colher (sopa) de óleo de oliva
150 g de ricota
1 punhado de queijo parmesão ralado ou um pedaço inteiro
suco de 1 limão
sal e pimenta-do-reino moída na hora
450 g de massa básica (veja receita na página 47)
porção extra de hortelã picada, óleo de oliva e queijo parmesão para servir

Se as favas forem bem pequenas e tenras, você poderá usá-las cruas. Se forem de tamanho médio ou grandes, afervente-as até ficarem tenras em água fervente sem sal (se estiverem meio duras, remova as casquinhas das favas). Despedace ou pique metade das favas e deixe a outra metade inteira.

Ponha todas as favas em uma tigela com a hortelã picado, o óleo de oliva e a ricota. Misture tudo delicadamente, adicionando o parmesão, o suco do limão, sal e pimenta-do-reino. Recheie os raviólis com esse recheio (veja página 65) e cozinhe-os em água fervente com sal, em fogo baixo, por cerca de 3 a 4 minutos. Escorra-os com cuidado.

Sirva regado com um pouco de óleo de oliva e salpicado com as favas extras, a hortelã picada e o queijo parmesão ralado ou laminado na hora.

Ravióli com batata, agrião e queijos

Marque um tento usando dois deliciosos queijos contrastantes, por exemplo um queijo forte como o gorgonzola ou o cremoso taleggio e um queijo marcante como o pecorino ou o parmesão.

Para 4 – 6 pessoas
570 g de batatas próprias para cozinhar
4 dentes de alho descascados
sal e pimenta-do-reino moída na hora
50 g de manteiga
150 g de queijo (duas variedades, veja acima)
noz-moscada ralada
2 ou 3 bons punhados de agrião (eliminados os talos grandes)
450 g de massa básica (veja receita na página 47)
óleo extravirgem de oliva ou manteiga, queijo e agrião para o momento de servir

Lave e descasque as batatas, coloque-as em água fervente bem salgada junto com o alho, e cozinhe até que fiquem tenras (é muito importante que não fiquem aquém nem passem do ponto). Escorra-as por uns 5 minutos para permitir que o excesso de água evapore (se você deixar cozinhar demais ou não escorrê-las bem, as batatas ficam encharcadas e o recheio muito úmido).

Quando as batatas tiverem esfriado, adicione a manteiga e os queijos escolhidos. Mexa e misture com um garfo para fragmentar as batatas. Adicione a noz-moscada, o sal e a pimenta-do-reino. Junte o agrião, metade cortada bem fininho e metade grosseiramente, e misture bem. Recheie os raviólis com uma boa colherada dessa mistura e cozinhe em água fervente com sal por cerca de 3 a 4 minutos.

Sirva regado com um fio de óleo de oliva ou manteiga, um pouco mais dos queijos escolhidos ralados e distribuídos sobre a massa e pequena porção de agrião rasgado.

TORTELLINI

O tortellini é bem parecido com o ravióli. Todavia, depois de pronto, o tortellini se mantém um pouco mais firmemente fechado. Isso quer dizer que pode ser mexido mais à vontade em um molho de manteiga com ervas ou adicionado a saladas – é bem mais maleável que o ravióli e por isso pode ser incorporado a um maior número de pratos.

Como fazer tortellini

Estique várias folhas de massa até mais ou menos 1 mm de espessura. Com uma faca afiada, corte a massa em quadrados ou círculos de tamanho igual (aproximadamente 10 cm de diâmetro, ou do tamanho que preferir). Você pode fazer isso com todas as folhas de massa de uma vez ou em partes, tomando o cuidado de deixar as outras folhas cobertas com um pano umedecido. Ponha então uma boa colherada de recheio no centro. Com um pincel para massa limpo e um pouco de água, pincele levemente e de modo uniforme as bordas do pedaço de massa. Você precisa fazer isso meticulosamente, senão a massa não vai fechar. Dobre o pedaço de massa ao meio, fechando o recheio; se ele parecer irregular, não se preocupe (acho que é até melhor, porque fica parecendo que foi mesmo feito em casa e não fabricado). Para tirar o ar e garantir que o tortellini fique hermeticamente fechado, envolva o montinho de recheio com a mão e feche devagar os dedos, forçando a saída do ar. Pressione suavemente a extremidade da abertura para terminar de fechar a massa (se houver rachaduras na massa, tire o recheio e comece de novo, senão o tortellini vai se romper durante o cozimento). Dobre as duas bordas e comprima. Está pronto o seu tortellini. Pode cozinhá-lo em seguida, normalmente por 3 a 4 minutos em água fervente com sal, em fogo baixo. Ou então, se você quiser cozinhar algum tempo depois, pode guardá-lo na geladeira por 3 a 4 horas em uma bandeja polvilhada com semolina.

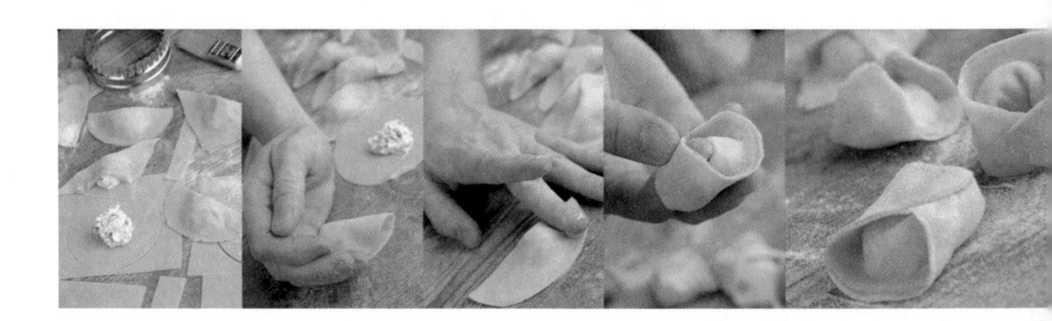

Tortellini recheado com mistura de queijos e manjericão com molho de tomate fresco

Alguns dos piores tortellini que já provei estavam recheados com mistura de vários queijos. Admito que eles sempre vieram prontos do supermercado, e eram recheados com sobras de queijo ou com queijos baratos e borrachentos. Esta receita de tortellini é absolutamente soberba, porque você os escolhe e os utiliza na proporção que quiser. Opte por diferentes misturas – queijos fortes, queijos cremosos –, numa combinação que lhe agrade. Lembre-se de que o queijo derrete ao cozinhar, e de que alguns tipos de queijo, como o fontina, têm melhores qualidades para isso. O molho de tomate fresco é ótimo porque, além de muito aromático, também corta a gordura do queijo.

Para 4 – 6 pessoas
50 g de queijo fontina
50 g de queijo pecorino
50 g de queijo parmesão
50 g de ricota
2 bons punhados de manjericão fresco picado
sal e pimenta-do-reino moída na hora
450 g de massa básica (veja receita na página 47)
1 receita de molho de tomate (veja página 237)
porção extra de óleo de oliva e parmesão para o momento de servir

Rale ou corte bem fino os queijos e coloque-os numa tigela com 3/4 do manjericão (rasgado). É sempre uma boa idéia adicionar um queijo como a ricota, capaz de fazer a ligação entre todos os queijos. Tempere com um pouco de pimenta-do-reino. Depois recheie os tortellini (veja página 72) e cozinhe em água fervente com sal por 3 a 4 minutos, até ficar tenro. Você precisará cozinhar o seu molho de tomate, já preparado, no mesmo tempo gasto para cozinhar os tortellini. Quando eles estiverem cozidos, escorra-os, junte o molho de tomate e misture. Adicione o restante do manjericão fresco (inteiro) e misture novamente.

Sirva com um pouco mais de óleo de oliva e de queijo parmesão.

Tortellini recheado com abóbora, manjericão e ricota com ervas tostadas

Para 4 – 6 pessoas

1 receita de abóbora assada temperada (veja na página 148)
2 bons punhados de manjericão fresco picado grosseiramente
250 g da melhor ricota que você puder encontrar
1 ou 2 punhados de queijo parmesão ralado
sal e pimenta-do-reino moída na hora
450 g de massa básica (veja receita na página 47)
2 punhados de ervas frescas misturadas (sálvia, tomilho, manjerona)

Corte bem fino metade da abóbora assada e grosseiramente a outra metade (você pode tirar a casca se quiser, mas eu adoro deixá-la porque fica leve e boa para mastigar). Ponha toda a abóbora em uma tigela junto com o manjericão, a ricota e a maior parte do queijo parmesão. Misture bem e tempere com sal e pimenta-do-reino. Recheie os tortellini (veja na página 72) e cozinhe em água fervente com sal por 3 a 4 minutos.

Frite as ervas em um pouco de manteiga clarificada (veja na página 227) ou óleo de oliva até ficarem tostadas e depois espalhe-as por cima do tortellini. Você pode servir com um pouco mais de parmesão ralado.

Tortellini de creme de aspargos, hortelã e ricota com pontas de aspargos e manteiga

Um excelente prato. O triste com relação aos aspargos é que eles são sempre cortados muito em cima e com isso você perde muito talo, mas este prato usa aspargos inteiros.

Para 4 – 6 pessoas
2 bons feixes de aspargos (com cerca de 700 g de peso)
óleo de oliva
85 g de manteiga
1 dente de alho cortado bem fino
sal e pimenta-do-reino moída na hora
400 g de ricota
1½ punhado de hortelã fresca picada bem fino
100 g de queijo parmesão
450 g de massa básica (veja receita na página 47)
porção extra de parmesão para o momento de servir

Antes de mais nada lave os aspargos. É surpreendente a quantidade de pedacinhos de pedra que pode haver nos brotos; lave rapidamente também os talos. Depois, segurando os aspargos para cima, corte as pontas no tamanho de aproximadamente 6 cm a partir do topo e reserve. Elimine cuidadosamente os pedaços fibrosos da película que envolve os talos. Por fim, corte-os em fatias, no sentido do comprimento, e prepare-os salteados em um pouco de óleo de oliva, parte da manteiga e todo o alho. Assim que os talos dos aspargos estiverem bem cozidos, meio moles por igual, adicione um pouco de sal e pimenta-do-reino e deixe esfriar.

Quando estiver frio, coloque os talos em uma tigela com a ricota, 3/4 da hortelã e o parmesão. Misture tudo e ajuste o tempero. Recheie os tortellini (veja página 72) e cozinhe em água fervente com sal por cerca de 3 a 4 minutos, até ficarem tenros. Enquanto isso, cozinhe também as pontas de aspargos em água fervente deixando-as macias. Ponha as pontas em uma tigela, misture um pouco de sal e o restante da manteiga e despeje sobre os tortellini.

Se quiser, melhore o encanto do prato salpicando-o com a porção extra de parmesão ralado e o restante da hortelã picada.

Tortellini de espinafre com ricota, ervas e parmesão

Para 4 – 6 pessoas

400 g de ricota fresca (a melhor que você puder encontrar)
¼ de dente de alho
½ pimenta vermelha (chilli) seca
sal e pimenta-do-reino moída na hora
4 punhados grandes de manjericão fresco picado bem fino
2 punhados de manjerona fresca ou orégano picados grosseiramente
2 punhados de salsa fresca picada bem grosseiramente
1 punhado de folhas de hortelã fresca picadas grosseiramente
1 ou 2 punhados de queijo parmesão ralado, a gosto
450 g de massa com espinafre (veja receitas básicas e variações nas páginas 47 e 53)
manteiga para o momento de servir

Ponha a ricota, o alho, a pimenta seca, o sal, a pimenta-do-reino, a maior parte das ervas e 3/4 do queijo parmesão em uma tigela e misture tudo com cuidado. Ajuste o sal, pimenta-do-reino, parmesão e pimenta vermelha seca para conseguir um resultado equilibrado. Pode ser um recheio muito leve, mas certamente com muito sabor, que melhora ainda mais juntando um quarto das ervas triturado em um almofariz. As ervas trituradas também podem acrescentar um pouco de cor à mistura, o que é bem bom. Recheie os tortellini (veja página 72) e cozinhe-os em água fervente com sal por 3 a 4 minutos. Quando estiverem cozidos, sirva-os em uma tigela, salpicados com o restante das ervas, pedacinhos de manteiga e o parmesão que sobrou.

FARFALLE

Gosto de esticar a massa para farfalle até ficar com 1,5 mm de espessura. Fazer a característica farfalle é muito fácil. Para isso, você pode usar uma faca ou uma daquelas rodinhas dentadas de cortar massa.

Como fazer farfalle

Apare os quatro lados de uma folha de massa com a faca e coloque-a de comprido à sua frente. Decida qual o tamanho que você quer dar às farfalle: pequenas para fazer sopa ou médias ou grandes? Não tem problema, isso é você quem decide; as massas caseiras são uma maravilha porque é possível escolher até o tamanho. Eu geralmente corto a massa de comprido em três tiras de cerca de 4 cm de largura. Deixando-as juntas, corte-as em ângulos retos em relação aos primeiros cortes para obter pedaços de aproximadamente 7,5 cm de comprimento, em toda a extensão das tiras, usando uma faca ou um cortador de massa.

O que você tem agora à sua frente é uma porção de pequenas folhas de massa retangulares todas juntas umas das outras. Para obter o formato de gravata-borboleta da farfalle, aperte bem, mas com cuidado, no meio de cada lado do pequeno retângulo. Isso pode ser feito muito rapidamente.

Deixe as farfalle secar ligeiramente por uns 5 minutos, para que elas fiquem frescas, macias e prontas para cozinhar logo em seguida. Ou, se você quiser cozinhá-las horas depois, pode colocá-las em uma bandeja levemente polvilhada com semolina, coberta com um pano umedecido: elas continuarão frescas por 3 a 4 horas. Ou ainda colocá-las em uma bandeja, deixá-las secar por 2 a 3 horas e guardá-las em uma vasilha hermeticamente fechada. Secada como deve ser, a farfalle pode durar pelo menos 2 meses.

Farfalle com molho de tomate rápido

O molho é feito com tomates frescos, perfeitamente maduros. Não fica tão rico de sabor como o molho de tomate da página 237, porém, feito rapidamente, ele fica muito mais leve, mais delicado e aromático. Pode ser cozido só até ficar meio grosso ou simplesmente batido em um liquidificador ou processador de alimento até ficar um molho homogêneo.

Para 4 – 6 pessoas
4 colheres (sopa) de óleo extravirgem de oliva
6 – 8 tomates médios a grandes
1 dente de alho cortado bem fino
sal e pimenta-do-reino moída na hora
2 bons punhados de manjericão fresco picado
450 g de farfalle (veja receita de massa básica na página 47)
óleo extravirgem de oliva para o momento de servir
um pouco de queijo parmesão ralado

Ponha o óleo de oliva em uma panela quente, de fundo grosso. Enquanto o óleo esquenta mais, lave os tomates, retire o miolo e pique-os grosseiramente. Depois coloque o alho na panela, deixe-o murchar, e antes que ele comece a dourar, acrescente os tomates. Eles vão chiar e espirrar e então começam a cozinhar. Leve à fervura e cozinhe por uns 5 minutos. O molho pode ficar em pedaços ou você pode deixá-lo meio pastoso ou completamente pastoso batendo-o em um processador ou liquidificador. Enquanto o molho ainda está quente, tempere com sal e adicione a maior parte do manjericão.

Nesse mesmo tempo, cozinhe as farfalle em água fervente com sal até ficar al dente e depois escorra. Adicione o molho de tomate, mexa e sirva salpicado com o restante do manjericão, um pouco de óleo extravirgem de oliva, pimenta-do-reino moída e queijo parmesão.

Farfalle com alcachofras, queijo parmesão, alho e creme de leite

Para 4 pessoas

4 alcachofras médias a grandes fatiadas bem fino
2 colheres (sopa) de óleo de oliva
1 dente de alho grande bem picado
1 colher (sopa) de tomilho fresco picado
um pouco de suco de limão
200 ml de creme de leite integral
½ colher (sopa) de hortelã fresca picada
150 g de queijo parmesão ralado
sal e pimenta-do-reino moída na hora
450 g de farfalle (veja receitas básicas na página 47 e farfalle na página 78)

Prepare as alcachofras (veja página 137). Corte ao meio e depois fatie bem fino a partir do miolo. Aqueça o óleo de oliva em uma panela de fundo grosso e adicione o alho e o tomilho. Junte a alcachofra e cozinhe em fogo baixo, sem deixar dourar, até que as fatias da alcachofra fiquem tenras. Adicione o suco de limão e cozinhe por 1 minuto. Junte o creme de leite e a maior parte da hortelã, cozinhe por 1 minuto, depois tire do fogo e acrescente metade do queijo parmesão. Tempere com um pouco de sal e pimenta-do-reino.

Enquanto isso, cozinhe as farfalle em água fervente com sal por 3 a 4 minutos ou até ficarem al dente. Misture o molho e sirva salpicado com o restante da hortelã e do parmesão.

Farfalle com pesto de agrião e rúcula

Para 4 pessoas
450 g de farfalle (veja receitas básicas na página 47)
queijo parmesão para o momento de servir

Pesto de agrião e rúcula
¼ dente de alho picado
1 punhado de manjericão fresco picado
1 punhado de rúcula
1 punhado de agrião picado
1 punhado de pinólis assados
1 bom punhado de queijo parmesão ralado
óleo extravirgem de oliva
sal e pimenta-do-reino moída na hora
um borrifo de suco de limão

Primeiro faça o pesto. Soque o alho no almofariz junto com o manjericão, a rúcula e o agrião. Adicione os pinólis e soque novamente. Despeje em uma tigela e adicione o parmesão. Misture e adicione a quantidade de óleo de oliva necessária para ligar o molho. Ponha um pouco de sal e pimenta-do-reino e o restante do parmesão. Borrife o suco de limão se for necessário.

Cozinhe a farfalle em água fervente com sal por 3 a 4 minutos ou até ficar al dente. Misture a massa no pesto e sirva-a salpicada com parmesão.

PEIXES E FRUTOS DO MAR

Asas de arraia com presunto, radicchio, alcaparras e limão

Assegure-se de que a arraia é realmente fresca e cozinhe-a no mesmo dia da compra. Escolha asas que pesem mais ou menos 340 g cada uma, já que elas têm muito osso na parte central; peça ao peixeiro para tirar as articulações centrais e aparar as nadadeiras.

Para 4 pessoas
4 x 340 g de asas de arraia
sal e pimenta-do-reino moída na hora
um pouco de farinha para polvilhar
4 colheres (sopa) de óleo de oliva
6 pedaços de manteiga
9 a 12 fatias de presunto (de Parma ou similar)
1 dente de alho picado bem fino
1 cabeça de radicchio
2 colheres (sopa) de alcaparras postas de molho na água
suco de 2 limões

Lave as asas da arraia, bata de leve nelas para enxugar e tempere com sal e pimenta-do-reino. Polvilhe-as levemente com farinha (elimine eventual excesso). Deixe a panela ficar bem quente, coloque o óleo e junte quatro pedaços de manteiga e a arraia. Deixe em fogo médio e cozinhe por cerca de 2 minutos de cada lado deixando ambos bem dourados. (Se as postas de arraia não couberem de uma vez na sua panela, você terá de repetir essa operação, usando 1 colher de óleo de oliva e 1 pedaço de manteiga para cada uma e dando uma ligeira limpada na panela entre uma e outra fritada com um papel de cozinha). Coloque todas as postas em uma assadeira e termine o cozimento no forno à temperatura de 230°C durante 4 a 5 minutos ou até que a carne se desprenda do osso.

Corte o presunto e o radicchio em fatias bem finas. Usando mais uma vez a panela, frite o presunto até ficar corado, depois junte o alho, o radicchio e as alcaparras. Abaixe o fogo e adicione o último pedaço de manteiga. O presunto deverá ficar ligeiramente tostado e o radicchio, murcho. Acrescente o suco de limão e sirva imediatamente. Uma delícia!

Vieiras na panela com bacon tostado e sálvia, lentilhas e salada verde

No River Café eu fazia de vez em quando esse prato que eu acho a melhor receita de vieiras em todo o mundo – eu nunca provei nada melhor. Esta é a minha versão. A combinação é soberba, leve, mas cheia de diferentes sabores. Acho que, frita ou grelhada na panela, esta é a única forma de comer vieiras, porque elas ficam realmente "carameladas" e suaves. Você precisa tentar prepará-las dessa maneira, ainda que as vieiras sejam um pouco caras – tudo o mais é barato nesta receita e você precisará só de duas ou três vieiras para cada pessoa. Este é, de fato, um jeito interessante e rápido de prepará-las.

Para 4 pessoas
12 fatias finas de bacon ou pancetta
2 colheres (sopa) de óleo de oliva
8 folhas de sálvia fresca por pessoa
12 vieiras
sal e pimenta-do-reino moída na hora
suco de 1 limão
8 colheres (sopa) cheias de lentilhas cozidas (veja na página 162)
4 grandes punhados de folhas de verduras para salada
molho para salada de óleo de oliva e suco de limão (veja na página 42)

Numa panela quente, frite o bacon ou a pancetta em um pouco de óleo de oliva. Quando estiver quase pronto, adicione a sálvia. O bacon e a sálvia vão ficar crocantes mais ou menos ao mesmo tempo. Quando estiverem no ponto, tire-os da panela e acomode-os em um papel de cozinha para absorver o excesso de gordura.

Ponha a panela novamente no fogo e, quando estiver bem quente, coloque um pouco de óleo nela e prepare as vieiras. Deixe mais ou menos 1 minuto de cada lado; a pele vai tostar levemente e ficar "caramelada". Quando as vieiras estiverem prontas dos dois lados, borrife-as com o suco de limão e mexa um pouco: a parte externa vai ficar com uma cor ainda mais forte. Tire as vieiras da panela e coloque-as em uma travessa.

Na mesma panela, reaqueça as lentilhas. Tempere a salada com o molho de oliva e limão e divida-a pelos quatro pratos. Salpique o bacon e a as folhas de sálvia crocantes sobre os 4 pratos de salada e então acomode as vieiras ao redor da salada. Por fim, distribua as lentilhas quentes por cima do prato e sirva imediatamente.

Bacalhau assado com salsa, orégano, chilli e lima

Este é um jeito muito rápido e fácil de preparar bacalhau. O truque é conseguir uma bela e grossa posta do peixe, tão fresca quanto possível. Eu compro postas de cerca de 3 cm de espessura.

Para 4 pessoas

4 postas de bacalhau de 250 a 340 g cada uma
1 ou 2 colheres (sopa) de óleo de oliva
½ colher (sopa) de orégano seco
2 bons punhados de salsa fresca picada bem fino
1 pimenta vermelha (chilli) fresca, sem sementes e picada bem fino
sal e pimenta-do-reino moída na hora
2 limas

Lave as postas de bacalhau em um pouco de água quente e enxugue com papel de cozinha. Com as mãos, esfregue o óleo de oliva no interior das postas, cobrindo-as levemente por inteiro. Ponha o orégano, a salsa e a pimenta vermelha picada em uma tigela e misture. Tempere as postas de peixe com sal e pimenta-do-reino e salpique-as com a mistura de ervas.

Preaqueça o forno e uma assadeira em temperatura de 225°C. Ponha as postas de bacalhau na assadeira – elas vão começar a crestar e chiar imediatamente. Coloque os limas cortadas ao meio na assadeira e leve-as de volta ao forno, na bandeja de cima, para que o peixe fique ligeiramente corado. Deixe assar por 10 minutos. Quando estiver pronto, sirva com as limas assadas, que você deverá espremer sobre as postas antes de servir.

O bacalhau vai muito bem com batatas cozidas em água fervente, verduras cozidas ou uma salada e um pouco de aïoli feito em casa (veja na página 229).

Filé de bacalhau frito na panela com salsa, alcaparras e beurre noisette

Este é um prato rápido, simples e clássico. Com ele, você não vai errar.

Para 4 pessoas
4 filés de bacalhau de 250 g cada um, sem pele e sem espinha
sal e pimenta-do-reino moída na hora
farinha
2 colheres (sopa) de óleo de oliva
85 g de manteiga
1 bom punhado de alcaparras postas de molho na água
1 bom punhado de folhas de salsa picadas
2 limas

Para preparar esta receita é importante ter uma panela que você possa aquecer até uma temperatura muito alta. Tempere os filés de bacalhau dos dois lados e polvilhe-os levemente com farinha (elimine eventual excesso dando umas pancadinhas no filé). Ponha o óleo de oliva na panela quente, mexendo-o de tal forma que todo o fundo da panela fique completamente coberto. Acomode o bacalhau na panela, com o lado aberto para baixo, e deixe por 2 minutos, usando um garfo para, com cuidado, verificar se a parte em contato com a panela está ficando bem dourada. Quando o primeiro lado estiver bonito e dourado, vire o peixe; agora é o lado da pele que vai estar em contato com o fundo da panela. Abaixe o fogo e depois de 3 a 4 minutos o bacalhau deverá estar cozido. Tire o peixe da panela e deixe-o em lugar aquecido.

Ponha a manteiga na panela e deixe-a derreter e começar a ficar levemente dourada. Adicione as alcaparras e a salsa e, durante os próximos 30 segundos, fique girando a panela até a manteiga dourar (não pode ficar preta). Esprema sobre a manteiga o suco de 1 limão e tire a panela do fogo; a mistura vai chiar e borbulhar. Rode o molho na panela e despeje as alcaparras, a salsa e a beurre noisette sobre o bacalhau. Sirva com as limas cortados em quatro pedaços, batatas cozidas e uma grande salada verde.

Truta assada com tomilho

Acho a truta algo muito agradável para comer, especialmente inteira. Lembro-me de ir pescar com meu avô quando tinha perto de sete anos. Costumávamos pegar as trutas, levar para casa e prepará-las imediatamente. Não há nada como uma truta bem assada, mas truta com tomilho é uma combinação sutil e revigorante. Na última vez que fiz uma truta assim usei tomilho com limão e ficou maravilhoso – o tomilho complementa o sabor da truta que, à medida que o peixe assa, vai adquirindo um discreto gosto de coisa da natureza. Nos supermercados, as trutas inteiras que você vai encontrar são criadas em cativeiro, o que não é ruim, e têm bom preço. (N. do T.: Aqui, a truta é praticamente só de cativeiro, criada principalmente nas águas frias da serra da Mantiqueira, da serra da Bocaina e na região serrana do Rio Grande do Sul. Os pontos-de-venda também têm filé de truta, completamente sem espinha, muito fácil e rápido de preparar e bom para usar em casa.

Para 4 pessoas

4 trutas de aproximadamente 450 g cada uma, descamadas e limpas

2 bons punhados de tomilho fresco picado

sal grosso e pimenta-do-reino moída na hora (N. do T.: A receita original pede Maldon salt, um sal produzido em Essex, no extremo sudeste da Inglaterra, a partir da evaporação natural da água do mar. Se você puder encontrá-lo, tudo bem, senão substitua pelo sal grosso, triturado ou não)

3 colheres (sopa) de óleo de oliva

2 limões

4 folhas de louro frescas

Preaqueça o forno na temperatura mais alta. Lave a truta por dentro e por fora e enxugue-a com um papel de cozinha. Soque o tomilho no almofariz junto com 1 colher de sal e o óleo de oliva (ou então pique o tomilho bem fino). Esfregue a mistura na parte interna da truta; besunte todas as cavidades da barriga do peixe e também o couro.

Corte os limões ao meio e depois as extremidades de cada metade. Com a ponta da faca, faça uma incisão na polpa de cada metade de limão e enfie uma folha de louro dentro dela. Ponha as trutas e os limões em uma assadeira e leve-os ao forno para assar por cerca de 10 minutos. Para saber se a truta está cozida no ponto, tente puxar a parte mais grossa do filé. Se estiver cozida, ela se desprenderá facilmente do osso; se não, leve a assadeira de volta ao forno e deixe por mais alguns minutos. Quando terminar o cozimento,

o couro deve estar tostado e os limões assados devem estar bem suaves e levemente gelatinosos – este é um ótimo jeito de cozinhar os limões enquanto o louro vai transferindo para ele o seu sabor.

Sirva a truta com o limão, que você deve espremer sobre o peixe. Gosto de servi-la com batata sauté e uma salada bem fresca.

Salmonete assado com orégano, limão e pasta de azeitona preta

Depois de ser devidamente limpo, o salmonete pode ser cozido inteiro ou, se preferir, peça a seu fornecedor para que tire as escamas, corte em filés e elimine as espinhas. Gosto de usar esta receita também para preparar abadejo e dourada. É uma receita simples, com sabor delicado.

Para 4 pessoas
4 filés de salmonete
½ dente de alho
sal e pimenta-do-reino moída na hora
1 maço de orégano fresco picado
2 colheres (sopa) de óleo de oliva
suco de ½ limão
pasta de azeitona preta (veja na página 141)

Faça pequenos cortes no lado da pele nos filés para que a marinada possa penetrar no peixe. Soque o alho no almofariz e adicione uma colher (sopa) de sal e o orégano. Soque até obter uma pasta (ou uma mistura bem triturada) e misture o óleo de oliva e o suco de 1/2 limão. Besunte os filés com essa mistura. A quantidade deve dar apenas para cobrir os pedaços de peixe (você não os quer nadando na marinada, não é mesmo?). Acomode os filés em uma assadeira limpa, com o lado da pele para cima. Coloque a assadeira na parte de cima do forno quente (na temperatura mais alta) e deixe assar por cerca de 7 minutos – o cozimento na parte de cima do forno ajuda a deixar a pele tostada e bonita, mas cuidado para não passar do ponto.

Sirva o peixe com a pasta de azeitona preta e uma simples salada verde.

São-pedro assado in cartocchio com marinada de tomates-cereja, azeitonas pretas e manjericão

Acho o saint-peter (são-pedro) um peixe diferente; quando cru, suas postas são densas e moles, depois de cozido, têm consistência de carne. É um grande "carregador" de sabores, portanto você pode cozinhá-lo do jeito que quiser e com qualquer coisa de sua preferência.

Há um jeito realmente saboroso de cozinhá-lo – é à moda do Mediterrâneo, que faz você se sentir como se estivesse lá. E tem um sabor soberbo. O segredo é conseguir o peixe mais fresco possível e as melhores azeitonas pretas que puder encontrar. (N. do T.: Em geral, o peixe são-pedro é mais conhecido por aqui como peixe-galo ou galo-de-fundo.)

Para 4 pesoas

4 saint-peters sem escamas (cada um com cerca de 225 g)
sal e pimenta-do-reino moída na hora
4 colheres (sopa) de óleo de oliva
2 copos de vinho branco

Marinada

1 boa porção de sua azeitona preta preferida descaroçada
1 dente de alho descascado e picado bem fino
½ pimenta vermelha (chilli) pequena e seca
1 bom punhado de manjericão fresco ou manjerona ou os dois picados grosseiramente
2 ou 3 colheres (sopa) do melhor óleo extravirgem de oliva
20 tomates-cereja cortados ao meio ou em quatro
1 limão
sal e pimenta-do-reino moída na hora

Primeiro faça a marinada para os tomates. Ponha as azeitonas em uma tigela junto com o alho, a pimenta (chili), a manjerona e o óleo. Adicione os tomates. Gosto de deixar a marinada por cerca de 1/2 hora antes de temperá-la, já que o suco dos tomates ajuda a revelar a quantidade de sal das azeitonas. Junte então o suco do limão e tempere com sal e pimenta-do-reino. Essa marinada deve aguardar mais ou menos um dia. Você pode adicionar tomates secos se quiser intensificar o sabor do tomate fresco.

Pegue uma lâmina de papel-alumínio de aproximadamente 40 cm de comprimento. Coloque 1/4 dos ingredientes da marinada no centro da metade direita do papel-alumínio e acomode sobre eles um dos filés já temperados. Dobre por cima do filé a metade esquerda e feche os dois lados, redobrando firmemente para apertar o peixe. Adicione 1 colher (sopa) de óleo de oliva e 1/4 do vinho branco e feche bem o lado do cartucho ainda aberto. Repita a operação com os outros filés. Ponha para assar no forno na temperatura mais alta por aproximadamente 10 minutos. Tire do forno e espere uns 3 ou 4 minutos sem abrir os cartuchos.

Para servir, coloque um cartucho em cada prato para que seus convidados possam abri-los e tirar deles o seu conteúdo.

Posta de atum crestada com coentro e manjericão frescos

O atum é facilmente encontrado nos supermercados e peixarias. Há muitos tipos: o melhor para sushi e sashimi é o atum-azul; o olho-grande vem muito perto em segundo lugar. Ambos são caros. (N. do T.: O atum mais conhecido aqui é o atum-azul, que tem couro azulado e carne avermelhada. É um peixe caro. Tem também o atum-amarelo.)

O que tem preço mais razoável é o atum-amarelo, que também pode ser muito bom. Quando for comprar atum, preste atenção: deve ter cor uniforme, vermelho-escura, e uma bonita e firme textura sem tendões. O melhor atum pode ser encontrado nas boas peixarias. Esse peixe deve ser servido como se deve: cor-de-rosa. Se você comprar atum fresco de boa qualidade, a última coisa que deve querer fazer é cozinhá-lo todo por igual, por dentro e por fora, fazendo-o parecer com atum enlatado. Lembre-se: um atum fresco de boa qualidade precisa ser servido malpassado, cor-de-rosa.

Para 4 pessoas

1 pimenta vermelha (chilli) pequena seca
1 colher (sopa) de sementes de coentro
½ dente de alho
1 bom punhado de manjericão picado bem fino
1 bom punhado de coentro fresco picado bem fino
suco de 1 limão
sal e pimenta-do-reino moída na hora
4 postas de atum de 220 a 280 g cada uma, com cerca de 2 cm de espessura

Soque o chilli e as sementes de coentro no almofariz. Adicione o alho, o manjericão, o coentro fresco e o suco de limão. Misture tudo e tempere.

Alinhe as postas de atum em uma assadeira, tempere dos dois lados e esfregue cada lado com a mistura de ervas.

Há dois bons jeitos de cozinhá-los: eu prefiro em uma panela sulcada apropriada para grelhar, ou pode-se usar uma frigideira. Esfregue a panela, que deverá estar muito, muito quente, com um pouquinho de óleo em um pedaço de papel de cozinha e acomode nela o atum. Deixe apenas tostar, fritar e dourar a camada externa (cerca de 45 a 60 segundos de cada lado). Depois, eu gosto de cortar as postas ao meio e servir com salada e batatas fritas ou cozidas e uma grande fatia de limão. Às vezes fica quase sensual com marinada de tomates, azeitonas, manjericão... as possibilidades são infinitas.

Pargo marinado rapidamente em vinagre balsâmico e manjerona tostada e assado inteiro

O pargo pode ser encontrado nas boas peixarias. Peça ao peixeiro para eviscerar e descamar o peixe, se ele ainda não tiver feito isso. Pode pedir-lhe também para separar os filés se você não quiser o peixe inteiro. O pargo é um peixe muito interessante, porque sua carne laminada tem sabor delicado. Acho que o toque adocicado do vinagre balsâmico e da manjerona casa muito bem com esse peixe.

Para 4 pessoas
2 pargos de 450 g
½ dente de alho picado bem fino
1 punhado de manjericão (ou de manjerona) fresco
sal e pimenta-do-reino moída na hora
150 ml (10 colheres das de sopa) de vinagre balsâmico
4 colheres (sopa) de óleo de oliva
alho e manjerona extras para guarnecer

Preaqueça o forno e a assadeira na temperatura mais alta. Lave os pargos por dentro e por fora e enxugue com papel de cozinha. Faça cortes em cruz de cerca de 2 cm dos dois lados do peixe (se for só o filé, faça do mesmo jeito, mas cuidado para não aprofundar muito os cortes). Soque ou pique bem fino o alho e as folhas de manjericão ou manjerona junto com 1 colher (sopa) de sal e acrescente o vinagre balsâmico e o óleo de oliva. Esfregue as partes interna e externa do peixe com essa mistura, mais uma pitada de pimenta-do-reino, especialmente dentro das incisões feitas no couro. Deixe descansar por 10 minutos, depois coloque o peixe e mais o que tenha restado da marinada em uma assadeira ligeiramente untada com óleo e leve ao forno para assar por cerca de 12 minutos. Deixe descansar por mais 1 minuto, permitindo assim que os deliciosos sucos se acomodem na carne do peixe. Para saber se o peixe está cozido, tente remover da espinha a parte mais grossa do filé: se sair facilmente, está tudo certo. Frite fatias finas de alho e folhas de manjerona até tostarem e espalhe-as sobre o peixe. Sirva com tomates-cereja assados, batatas cozidas e uma salada.

Salmão assado com azeitonas, vagem (green bean), anchovas e tomates

A idéia deste prato é simplesmente assar o salmão com um pouco de óleo de oliva e sal marinho. Na mesma assadeira, assar tomates, azeitonas e vagens aferventadas, acomodando as anchovas sobre as vagens. Enquanto cozinham, as vagens se desmancham e, enquanto assam, as azeitonas liberam um aroma fumegante junto com os tomates. Esta é uma combinação realmente boa, que você deve tentar.

Para 4 pessoas
200 g de vagens
20 tomates-cereja pequenos
1 ou 2 punhados de azeitonas pretas
2 colheres (sopa) de óleo extravirgem de oliva
sal e pimenta-do-reino moída na hora
4 filés de salmão de 225 g cada um, com ou sem couro, mas sem a espinha
2 limões
1 punhado de manjericão fresco
12 filés de anchova

Primeiro, elimine as extremidades das vagens, afervente-as até ficarem tenras e escorra. Coloque-as em uma tigela junto com os tomates e as azeitonas descaroçadas e misture tudo com o óleo de oliva, uma pitada de sal e de pimenta-do-reino.

Lave rapidamente o peixe na torneira e enxugue batendo de leve com papel de cozinha. Esprema o suco de 1/2 limão sobre os dois lados do filé de salmão, tempere, também dos dois lados, com sal e pimenta e um fio de óleo de oliva. Preaqueça o forno e a assadeira na temperatura mais alta. Ponha os quatro filés de salmão em uma das extremidades da assadeira. Misture o manjericão às vagens, às azeitonas e aos tomates e acomode na outra extremidade da assadeira. Distribua os filés de anchova sobre as vagens. Asse no forno preaquecido durante 10 minutos, depois tire e sirva com quartos de limão.

Fica muito saboroso com maionese feita em casa ou aïoli (veja na página 229).

SARDINHAS FRESCAS

Sardinhas frescas são algo muito especial. Têm um sabor delicioso, custam pouco e são altamente nutritivas. Definitivamente, são subestimadas. Grelhadas ou assadas inteiras, as sardinhas são maravilhosas, mas estou dando a você uma receita um pouco diferente e clássica, com recheio parecido com uma espécie de panzanella.

Como preparar

Descame as sardinhas com uma faca (procure não cortar a pele). Elimine a cabeça, abra a barriga e remova as partes internas em água fria corrente. Abra toda a sardinha por dentro, como se fosse um livro, e pressione os lados com os polegares. Retire a espinha puxando no sentido da cabeça até a extremidade do rabo.

Sardinhas recheadas, enroladas e assadas com pinólis e ervas frescas

Para 4 pessoas

4 tomates maduros
12 sardinhas grandes (preparadas como indicado na página 98)
raspa e suco de 1 limão
sal e pimenta-do-reino moída na hora
1 cebola de tamanho médio descascada e picada bem fino
4 colheres (sopa) de óleo de oliva
1 dente de alho
1 bulbo de funcho (erva-doce) aparado e cortado bem fino
1 pimenta vermelha (chilli) socada
1 punhado de manjericão fresco bem picado
1 punhado de salsa fresca bem picada
3 punhados de farinha de rosca
1 bom punhado de pinólis
óleo extravirgem de oliva para borrifar as sardinhas

Afervente os tomates, tire a pele e as sementes e pique-os bem. Coloque as sardinhas, uma do lado da outra, em uma travessa apropriada; salpique-as com a raspa de limão e depois esprema o suco do limão sobre elas. Tempere levemente com sal e pimenta-do-reino. Em uma frigideira grossa, refogue a cebola devagar em óleo de oliva. Depois de uns 3 minutos, adicione o alho e deixe-o fritar sem dourar por mais 1 minuto. Acrescente o funcho (erva-doce) e frite por mais 1 minuto, só até amolecer, depois coloque os ingredientes da frigideira em uma tigela e deixe esfriar. Adicione os tomates, a pimenta vermelha, as ervas e a farinha de rosca e misture.

Salpique um pouco da mistura no fundo de uma assadeira de cerâmica untada com óleo, onde serão colocadas as sardinhas enroladas; depois, uma a uma, ponha um pouco mais da mistura em cada lado das sardinhas e enrole-as. Coloque-as então na assadeira de cerâmica, salpique com o restante da mistura de ervas, pinólis e erva-doce, borrife com óleo de oliva e asse em forno quente (na mais alta temperatura) durante 8 a 10 minutos, até dourar. Um ótimo prato para o almoço, o jantar ou um lanche.

Peixe no sal marinho

Este é um jeito fácil, rápido e bem aceito por todos de preparar peixe. E, mais importante, muito gostoso. O peixe conserva sua umidade natural e seus sucos e, ao contrário do que se imagina, não fica com excesso de sal.

Eu uso o peixe inteiro, o que quer dizer que você pode cozinhar um salmonete ou um saint-peter para 1 ou 2 pessoas ou cozinhar um salmão grande, abadejo ou cherne para um grupo. Meus peixes favoritos para preparar desse modo são o salmonete, o pargo, o salmão, o linguado ou a truta. Peça ao peixeiro para tirar as escamas e as vísceras do peixe, assim você só vai ter de rechear a cavidade ventral com ervas frescas aromáticas e fatias de limão. Faça uma seleção de ervas frescas – manjericão, salsa, ramos de erva-doce, endro (dill), coentro ou louro. Acomode o peixe em uma assadeira mais ou menos do tamanho dele coberta com papel-alumínio, com uma sobra de uns 30 cm de cada lado para poder envolver o peixe. Aplique uma camada de sal grosso de no mínimo 2 cm no fundo da assadeira (é fácil encontrar sal grosso nos supermercados) e acomode sobre ela o peixe recheado (sempre me certifico de que o peixe esteja bem cheio de ervas para impedir contato da cavidade com o sal). Espalhe o restante do sal por cima do peixe fazendo uma camada de cerca de 2 cm de altura. Agora dobre a sobra do papel-alumínio e pressione para baixo entre a assadeira e a camada de sal (isso protege lateralmente o peixe e evita que você use sal demais). Respingue um pouco de água sobre o sal para ajudar a formar uma crosta. Ponha para assar no centro do forno, na temperatura mais alta, por 10 minutos para cada 450 g.

Se for fazer este prato com salmão não criado em cativeiro, você precisará deixá-lo malpassado para poder apreciar seu sabor natural. Nesse caso, simplesmente reduza o tempo de forno em 2 minutos para cada 250 g (o salmão "selvagem" é provavelmente o único peixe que eu faria assim).

Depois de assado, deixe descansar por 15 minutos (assim o peixe continuará a cozinhar suavemente); devagar, remova o sal com cuidado para não perfurar o couro, senão a carne vai ficar salgada. Depois de descobrir todo o peixe, coloque-o no meio da mesa acompanhado de pão fresco, salada verde crocante e batatas cozidas.

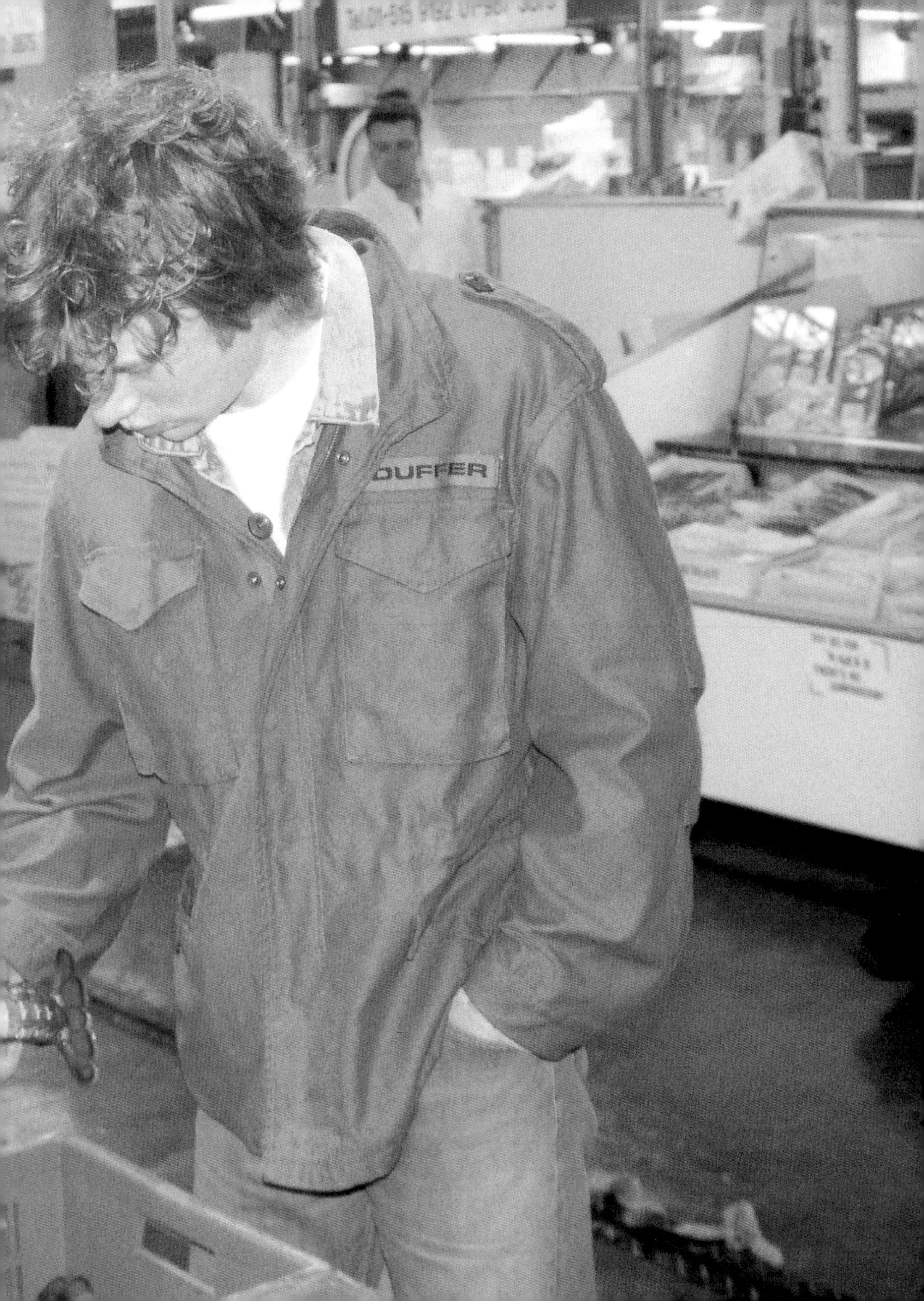
DUFFER

Kedgeree

Este é um prato versátil, ótimo tanto para o almoço quanto para o jantar. A receita oferece um ótimo equilíbrio entre o sabor do defumado e o das especiarias.

Para 6 pessoas
2 ovos
680 g de filés de haddock defumado
2 folhas de louro
170 g de arroz-agulha
sal e pimenta-do-reino moída na hora
120 g de manteiga
1 cebola de tamanho médio bem picada
1 dente de alho bem picado
2 colheres (sopa) cheias de curry (caril)
2 limões
2 bons punhados de coentro fresco picado grosseiramente

Cozinhe os ovos durante 10 minutos e coloque-os em água fria até o momento de usá-los. Ponha o haddock em uma frigideira com um pouco de água e as folhas de louro, leve à fervura, tampe e cozinhe por cerca de 5 minutos. Tire-o da frigideira quando estiver em condições de ser manuseado, remova a pele, desmanche o peixe em pedaços pequenos e grossos e reserve.

Cozinhe o arroz em água com sal por uns 10 minutos e depois escorra. Esfrie com água, escorra novamente e deixe na geladeira até quando você precisar dele. Derreta a manteiga em uma panela em fogo baixo, adicione a cebola e o alho, deixe-os murchar sem dourar por cerca de 5 minutos, acrescente o curry e deixe cozinhar por mais uns minutinhos. Adicione o suco de 1 limão. Corte os ovos cozidos em fatias. Adicione o peixe e o arroz e deixe aquecer devagar. Junte então os ovos e o coentro, mexa e tempere com sal e pimenta-do-reino. Coloque no recipiente em que será levado à mesa, previamente aquecido, e sirva com o outro limão cortado em fatias – você vai adorar!

Lagosta cozida à perfeição

É possível comprar lagostas já cozidas nos supermercados por um preço até razoável, mas para sentir o seu sabor sublime, como deve ser, você precisa comprar lagostas vivas e cozinhá-las. Você vai ver que não há lagosta mais apetitosa. Provavelmente você terá de encomendá-la ao seu fornecedor com antecedência. Ela é escura, mas fica vermelha quando cozida.

É recomendável comprar lagosta com um pouco mais de 1 quilo, se for para duas pessoas, ou menores para servir uma para cada pessoa.

Leve a lagosta para casa e cubra-a com um pano de cozinha limpo – o escuro faz com que ela durma. Você poderá cozinhá-la em água bem salgada (tanto quanto a água do mar) ou então em um brodo aromatizado com salsão (aipo), erva-doce, chilli, louro e outras ervas.

Em uma panela grande, coloque a quantidade de água necessária para cobrir a lagosta. Quando a água estiver fervendo, mergulhe nela a lagosta, colocando primeiro a cabeça, e tampe. Deixe cozinhar por cerca de 3 minutos para cada 450 g. Depois, tire-a da panela e deixe descansar por 5 minutos. Você vai precisar agora de uma faca afiada (a serrilhada é boa). Ponha a lagosta na tábua com a cauda na sua direção. Há uma linha correndo ao longo das costas, até a cabeça. Enfie a ponta da faca bem atrás dos olhos e corte até o fim, no sentido longitudinal; então, vire a faca e corte até a outra extremidade. Assim você terá cortado a lagosta em todo o comprimento. Remova a veia intestinal escura que vai até a cauda, a pequena vesícula estomacal, que fica na cabeça, e as guelras. (Se a lagosta vai ser servida fria, deixe-a esfriar em sua casca para preservar a umidade da carne.) Abra as garras com a base de uma faca de cozinha grande. Sirva com o lado aberto para cima.

A lagosta é sempre bem-vinda a uma mesa. Eu sempre a sirvo de maneira simples, com uma salada verde, pão fresco, e dois ou três molhos, entre eles o de limão ou maionese de manjericão, aïoli, chilli e erva-doce, de pimenta doce e de pimenta-do-reino (veja nas páginas 229, 234, 235). Ponha lavanda na mesa e sirva um vinho branco.

N. do A. Na minha opinião, não é necessário matar a lagosta com uma faca antes de cozinhá-la (como algumas pessoas fazem), porque ela morre instantaneamente quando mergulhada em água fervente e, a menos que você a mate de maneira correta com a faca, ela vai sentir dor. Acho também que perfurar a lagosta não é nada bom, porque muito do seu suco saboroso poderá escapar para dentro da água. Sinto muito se tudo isso parece um tanto cruel.

CARNES E AVES

Costeletas de porco com tomilho, limão e pesto

O corte normal da costeleta de porco serve para a receita, mas quando eu vou prepará-la peço ao açougueiro que corte uma peça com duas costelas, remova uma delas e apare o excesso de gordura, deixando-a bem uniforme – isto sim é uma verdadeira costeleta! Um bom açougueiro não vai se aborrecer com esse pedido. As costeletas ficam melhores em uma grelha de ferro, mas você pode fazê-las fritas ou assadas.

Para 4 pessoas
1 punhado de tomilho
sal e pimenta-do-reino moída na hora
1 dente de alho
raspa e suco de 1 limão
1 colher (sopa) de óleo de oliva
4 peças de duas costelas do lombo do porco ou de corte normal
1 receita de pesto (veja na página 232)

Soque o tomilho em um almofariz, ou pique-o bem fino, junto com uma colher (chá) de sal. Assim que estiver socado, adicione o alho e 1 colher (chá) de pimenta-do-reino e soque novamente. Agora misture a raspa e o suco do limão e o óleo de oliva. Distribua a mistura sobre as costeletas e deixe descansar por pelo menos 10 minutos.

Ponha as costeletas em uma chapa bem quente ou em uma frigideira preaquecida (as costeletas vão soltar um pouco de fumaça, por isso mantenha o exaustor ligado!). Procure deixar cada lado tostado e dourado, mas com cuidado para não deixar queimar; abaixe o fogo se perceber que as costeletas podem passar do ponto. Elas vão levar uns 8 minutos para cozinhar em fogo médio. Não cozinhe demais a carne de porco, não é necessário e só vai fazer com que fique seca. Deixe as costeletas descansar por alguns minutos e depois espalhe o pesto sobre elas.

Sirva com salada mista e purê de batatas ou batatas sem descascar besuntadas com óleo de oliva, depois roladas no sal marinho e assadas.

Porco à pururuca

Se você tiver um bom açougueiro, peça-lhe a costela ou a ponta traseira do lombo do porco. Peça-lhe para deixar o couro e fazer pequenos cortes nele de 5 mm aproximadamente e depois desossar. Por fim, peça-lhe também que corte os ossos, e leve-os para casa para fazer o molho.

Para 4 pessoas
½ lombo de porco de cerca de 3 kg (com osso)
sal marinho grosso
1 colher (sopa) de alecrim fresco picado
½ colher (sopa) de sementes de erva-doce
5 dentes de alho
8 colheres (sopa) de vinagre balsâmico
4 folhas de louro
2 colheres (sopa) de óleo de oliva
os ossos do porco picados
5 talos de salsão (aipo) picados grosseiramente
1 cenoura grande picada grosseiramente
1 cebola grande picada grosseiramente

Ponha o pedaço de porco na tábua e esfregue o sal e o alecrim picado nas incisões feitas ao longo do couro, tentando atingir cada ponto dos cortes, enfiando e esfregando neles os ingredientes. Em um almofariz, soque as sementes de erva-doce, depois os dentes de alho e o restante do alecrim, e esfregue essa mistura dentro da carne – não no couro, senão ela vai queimar. Coloque a peça de porco em uma assadeira com o vinagre balsâmico, o louro e o óleo de oliva. Deixe marinar por cerca de 1/2 hora.

Enquanto isso, preaqueça o forno na temperatura mais alta e toste os ossos. Esfregue o couro do porco com bastante sal marinho, o que vai ajudar a torná-lo pururuca e seco. Ponha a peça de porco diretamente na grade da parte de cima do fogão. Por fim, adicione os ossos tostados e os vegetais à marinada de vinagre balsâmico, acrescente pouco mais de 1/2 litro de água e coloque a bandeja embaixo da carne. À medida que o pedaço de porco assa, o excelente líquido vai pingando na bandeja: esse líquido será o seu molho. Você também obterá belas marcas tostadas pela grade na base da carne.

O pedaço de porco levará 1 hora para assar. Depois de 20 minutos, abaixe a temperatura do forno para 220°C. Assim que estiver assado, tire do forno e coloque-o em um pedaço de papel-alumínio ou outro recipiente adequado para recolher o molho restante. Deixe descansar por pelo menos 10 minutos. Termine de preparar os vegetais que irão acompanhar a carne de porco e o molho feito com o líquido que pingou na bandeja posta embaixo do assado.

Molho

Ponha os ossos, o líquido resultante do cozimento e os vegetais em uma panela grande. Adicione um pouco de água ao molho saboroso que ficou no fundo da bandeja e mexa. Torne a ferver a água, raspe o molho do fundo da bandeja e despeje tudo na panela. Leve à fervura, mexendo de vez em quando, remova todo o óleo, gordura ou espuma sobre o molho e depois passe-o pela peneira de cozinha, descartando todos os vegetais e ossos. Você ainda pode levá-lo ao fogo para reduzir um pouco e ajustar o tempero, se necessário.

Cordeiro com chilli, gengibre, ervilhas e couscous

Este é um grande prato. É divertido cozinhá-lo e ele tem um sabor muito original e autêntico. As fragrâncias do chilli e do gengibre são sua marca registrada. Eu costumo aparar o *neck fillet* (N. do T.: Músculo do pescoço, sem osso, magro e macio). Mas você pode também usar qualquer outra boa carne de cordeiro.

Para 4 – 6 pessoas

170 g de ervilhas, deixadas de molho durante a noite
2 berinjelas grandes e firmes
sal e pimenta-do-reino moída na hora
10 tomates maduros
1½ colher (sopa) de sementes de coentro
½ colher (chá) de sementes de cominho
noz-moscada ralada
4 neck fillets de cordeiro (280 g cada um aproximadamente) fatiados em pedaços de 5 cm
4 colheres (sopa) de óleo de oliva
4 pimentas chilli picadas
2 colheres (sopa) de gengibre fresco ralado
2 dentes de alho picados bem fino
1 colher (sopa) de vinagre
2 colheres (sopa) de salsa fresca picada
1 colher (sopa) de coentro fresco picado
couscous (veja nas páginas 180 e 181)

Escorra as ervilhas. Cubra com água, leve à fervura e cozinhe até ficarem tenras. Corte as berinjelas em cubinhos de mais ou menos 2,5 cm e coloque-os em um coador na pia. Polvilhe-os com sal (mais ou menos 1 colher das de sopa), o que fará com que a berinjela se desidrate, perdendo seu suco amargoso (deixe por aproximadamente 1/2 hora). Escalde os tomates em água fervente, tire a pele e as sementes e corte-os em quatro pedaços.

Soque no almofariz as sementes de coentro e cominho junto com 1 colher (chá) de sal, depois coloque a mistura em uma tigela e adicione 12 raladas de noz-moscada. Acrescente os pedaços de cordeiro nessa mistura e mexa bem para que ela cubra toda a carne. Aqueça uma caçarola grande, despeje nela 2 colheres (sopa) de óleo de oliva e refogue a carne de cordeiro até ficar bem corada.

Esprema o excesso de líquido das berinjelas (descartando grande parte do sal). Ponha mais 2 colheres de óleo de oliva na panela quente e frite a berinjela com o cordeiro por uns 2 minutos, mexendo sempre. Junte as pimentas (chilli) e o gengibre e deixe cozinhar por 3 minutos. Acrescente o alho e cozinhe por 1 minuto (sem dourar demais). Adicione o vinagre e os tomates e mexa. Abaixe o fogo para um cozimento suave, tampe e deixe por 1 hora e em seguida junte as ervilhas cozidas e cozinhe por mais 5 minutos. Os tomates vão formar um molho, e a berinjela deve ficar macia. Adicione sal se preciso e acrescente a salsa e o coentro. Sirva com couscous.

Perna de cordeiro assada

Uma perna de cordeiro (cerca de 2 kg) é sempre uma bela refeição. Gosto de experimentar diferentes formas de enriquecer seu maravilhoso sabor. Aqui vai um pouco do que faço para acrescentar alguma coisa a um assado.

Uma perna de cordeiro precisa ser macia ao toque e afundar levemente quando pressionada. O couro deve estar seco, mas não ressecado. Para cozinhar e trinchar melhor, peça ao seu fornecedor para remover a articulação inferior.

Tempos de cozimento

Malpassado – 10 minutos para cada 450 g mais 20 minutos
Ao ponto – 13 minutos para cada 450 g mais 20 minutos
Bem passado – 20 minutos para cada 450 g mais 20 minutos

Sempre deixe a carne descansar por pelo menos 10 minutos antes de trinchar.

Perna de cordeiro assada com anchovas e alecrim

1 perna de cordeiro (cerca de 2 kg)
½ limão
1 punhado de alecrim picado grosseiramente
10 filés de anchovas em conserva de sal ou de óleo
sal e pimenta-do-reino moída na hora
óleo de oliva

Com uma faca de ponta bem afiada, faça umas 10 incisões em ângulo no couro da perna do cordeiro até uma profundidade de 5 cm, enfiando o dedo em cada corte para que ele fique um pouco mais aberto. Esfregue o limão no couro e enfie o alecrim dentro dos cortes e sobre o couro. Enfie os filés de anchova nos cortes. Tempere por fora com sal e pimenta-do-reino. Ponha um pouco de óleo em uma bandeja (grossa, de preferência) e coloque nela a perna do cordeiro. Deixe assar no forno à temperatura de 225°C, virando-a a cada 30 minutos até ficar cozida.

Perna de cordeiro assada com alecrim e alho

1 perna de cordeiro (cerca de 2 kg)
½ limão
1 punhado de alecrim fresco
sal
1 dente de alho
óleo de oliva
alguns ramos extras de alecrim fresco

Corte fora pequenos pedaços do couro em toda a perna do cordeiro. Esfregue-a com o limão suavemente. Contorne o osso do cordeiro com uma faca, enfiando a lâmina dentro da carne por uns 10 – 12 cm (você vai apenas fazer um "túnel", separando a carne do osso). Faça isso em cada uma das extremidades da peça de carne. Soque em um almofariz um pequeno punhado de alecrim com 1 colher (sopa) de sal. Junte o alho e 1/2 colher (sopa) de óleo de oliva e soque novamente. Esfregue essa mistura nos pontos onde a carne ficou exposta e também enfie nas brechas abertas com a faca junto ao osso. Essa operação vai dar à carne um ótimo aroma. Ponha um pouco de óleo em uma assadeira (grossa, de preferência) aquecida, acomode nela a perna de cordeiro e deixe assar no forno a 225°C, virando-a a cada 30 minutos.

Perna de cordeiro assada com pancetta, sálvia e alecrim

1 perna de cordeiro (cerca de 2 kg)
1 punhado de sálvia fresca
1 dente de alho
sal e pimenta-do-reino moída na hora
suco de 1 limão
óleo de oliva
1 punhado de alecrim fresco
85 g de pancetta, fatiada

Contorne o osso do cordeiro com uma faca, enfiando a lâmina dentro da carne por uns 10 – 12 cm (você vai apenas fazer um "túnel", separando a carne do osso). Faça isso em cada uma das extremidades da peça de carne. Com a ponta de uma faca bem afiada, perfure o couro 6 a 8 vezes ao longo da perna. Alargue um pouco as perfurações com os dedos.

Em um almofariz, soque metade da sálvia com o alho e 1 colher (chá) de sal. Quando estiver bem socado, adicione o suco do limão, 2 colheres (sopa) de óleo de oliva, o restante da sálvia e o alecrim picados grosseiramente. Recheie com essa mistura todas as incisões no couro e aberturas que você fez com a faca na perna de cordeiro e, em seguida, enfie também as fatias de pancetta. Isso vai dar um delicioso sabor à carne. Ponha um pouco de óleo em uma assadeira (grossa de preferência) preaquecida, coloque nela o cordeiro e deixe assar no forno a 225°C, virando-o a cada 30 minutos até ficar cozido.

Perna de cordeiro assada com damasco e tomilho

1 perna de cordeiro (cerca de 2 kg)
1 punhado de tomilho aparado
½ dente de alho
sal
óleo de oliva
suco de ½ limão
1 punhado de damascos secos

Contorne o osso do cordeiro com uma faca, enfiando a lâmina dentro da carne em uns 10 – 12 cm (você vai apenas fazer um "túnel", separando a carne do osso). Faça isso em cada uma das extremidades da peça de carne. Com uma faca de ponta fina faça aleatoriamente umas 6 ou 8 perfurações oblíquas na carne ao redor da perna do cordeiro. Para aumentar um pouco o tamanho das incisões, enfie os seus dedos nelas e empurre para baixo. Em um almofariz, esmague um bom punhado de folhas de tomilho com o alho e uma colher (chá) de sal. Após obter uma pasta, adicione 1 colher (sopa) de óleo de oliva e o suco de 1/2 limão.

Pique grosseiramente um bom punhado de damascos secos (eles têm um sabor excelente) e misture-os com o que está dentro do almofariz. Utilize essa pasta para rechear todas as incisões e aberturas que você havia feito com a faca. Esfregue o restante da mistura sobre toda a carne. Tempere com uma pitada de sal. Ponha um pouco de óleo em uma assadeira quente (de preferência uma bem grossa), coloque o cordeiro, e asse-o no forno a 225°C, virando-o a cada 30 minutos até ficar cozido.

Canela de cordeiro cozida com especiarias

Este é um dos cortes de cordeiro mais baratos e saborosos. Cozido desta maneira, o molho fica delicioso e a carne desprende-se facilmente do osso. Servido com purê de batatas, polenta, couscous ou arroz, fica maravilhoso.

Para 4 pessoas
4 canelas de cordeiro
sal e pimenta-do-reino moída na hora
1 colher (chá) de sementes de coentro
1 pimenta (chilli) pequena seca (ou 2 colheres das de chá de chilli fresca picada)
1 colher (sopa) de alecrim fresco
1 colher (chá) de manjerona seca ou orégano
1 colher (sopa) de farinha
1 colher (sopa) de óleo de oliva
1 dente de alho picado bem fino
1 cenoura grande cortada em quatro e fatiada finamente
6 talos de salsão (aipo) cortados em quatro e bem picados
2 cebolas de tamanho médio/grande cortadas em quatro e bem picadas
2 colheres (sopa) de vinagre balsâmico
170 ml de vinho branco seco
6 filés de anchova
2 latas de tomates pelados
1 punhado de manjericão fresco, manjerona ou salsa picadas grosseiramente

Tempere o cordeiro com sal e pimenta-do-reino moída na hora. Esmague as sementes de coentro e a pimenta seca e misture com o alecrim picado e a manjerona seca. Passe o cordeiro nessa mistura, pressionando-o bem, e, em seguida, polvilhe-o com a farinha.

Aqueça uma caçarola de fundo grosso, coloque o óleo de oliva, doure todos os lados da carne e, em seguida, retire-a da panela. Ponha o alho, a cenoura, o salsão, as cebolas e uma pitada de sal e refogue até ficarem macios. Acrescente o vinagre balsâmico e deixe o refogado engrossar. Coloque o vinho branco e ferva por 2 minutos. Adicione as anchovas e então acrescente os tomates pelados inteiros. Mexa e coloque o cordeiro nela de novo. Espere ferver, tampe e cozinhe em fogo à temperatura de 180°C por 1 hora e 1/2, então remova a tampa e cozinhe por mais 1/2 hora. Escume qualquer gordura da superfície e prove o tempero. Finalmente, acrescente um punhado de manjericão fresco, manjerona ou folhas de salsa picadas grosseiramente e mexa.

LAMB
Randalls
LIME AND ROASTED GARLIC OIL
500ml

PORK

Meu frango assado perfeito

Todas as semanas eu faço este prato e sempre tento fazer algo diferente com ele. Na verdade, eu nunca vi alguém cozinhá-lo assim, mas é um modo bastante simples – é certamente o melhor jeito de preparar um frango assado e faz uma grande diferença. Eu simplesmente separo com cuidado a pele da carne na parte superior do peito do frango e recheio essa abertura com ervas frescas e delicadas, como salsa, manjericão e manjerona. Então, amarro e asso o frango com um pouco de óleo de oliva e sal.

Para 4 pessoas

1 frango (caipira de preferência) de 1,1 – 1,4 kg
sal e pimenta-do-reino moída na hora
3 punhados de ervas frescas (manjericão, salsa, manjerona) sem o talo e bem picadas
4 colheres (sopa) de óleo de oliva
1 limão cortado ao meio
4 folhas de louro rasgadas
2 galhos de alecrim fresco

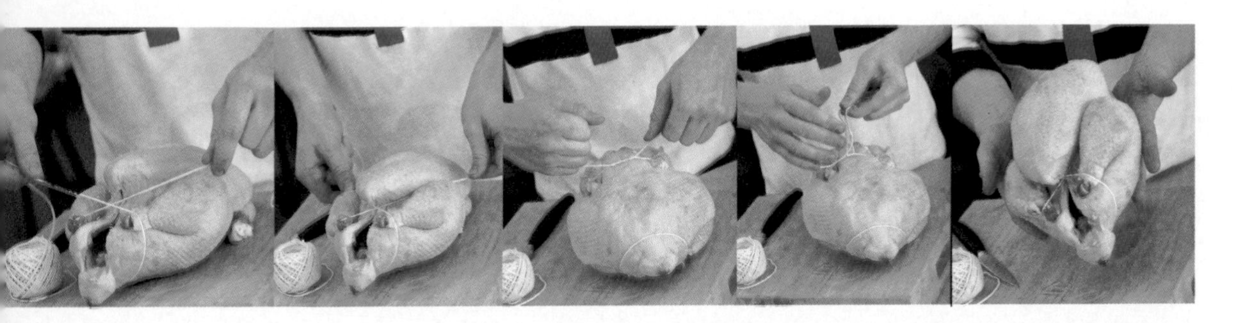

Preaqueça o forno e a assadeira na temperatura de 225°C. Lave o frango por fora e por dentro e seque-o o máximo possível dando leves batidas com toalhas de papel. Algumas pessoas removem o "osso da sorte" (a fúrcula, aquele osso em forma de forquilha), mas eu prefiro mantê-lo e fazer um pedido (ao ser quebrado por duas pessoas, aquela que terminar com a maior parte do osso poderá ter um desejo realizado). Esfregue a cavidade com sal e, com muito cuidado, agarre a pele na extremidade do peito do frango e puxe suavemente, assegurando que a carne não se rasgue. Com a outra mão separe a pele da carne do peito. A carne normalmente está unida por uma espécie de pele fina, e você pode tanto deixá-la ali no meio como fazer dois pequenos túneis em cada

lado, ou ainda tentar cortá-la. Polvilhe as cavidades que você fez com um pouco de sal e enfie as ervas picadas. Regue com um pouco de óleo de oliva. Eu nem sempre recheio o frango, mas, quando faço isso, geralmente utilizo limão, louro e alecrim, que são colocados na cavidade nesse momento. Puxe a pele do peito de frango para frente de modo que a carne não fique exposta, dobre as coxas para baixo, e amarre o mais firmemente possível.

Para mim o frango assado perfeito tem a pele crocante, a carne das coxas mais assadas e a carne do peito macia e umedecida. Por isso, neste momento, simplesmente faça uns 3 ou 4 talhos em cada uma das coxas e esfregue um pouco das ervas que sobraram. Isso permitirá que o calor penetre diretamente na carne da coxa, fazendo com que ela cozinhe mais rapidamente. Com a mão, esfregue a pele do frango com um pouco de óleo de oliva e tempere generosamente com sal e pimenta-do-reino. Retire a assadeira quente do forno e adicione um pouco de óleo de oliva. Coloque o frango, com o peito para baixo, no fundo da assadeira e leve ao forno. Deixe assar por 5 minutos, então vire a assadeira para o outro lado, mantendo o peito do frango voltado para baixo. Asse por mais 5 minutos e coloque o frango com o peito para cima. Asse por 1 hora a 225°C.

Utilize a gordura que cair na assadeira para assar as batatas, ou cozinhe-as na assadeira junto com o frango. A pele deverá ficar bem crocante e as ervas darão sabor à carne – este é certamente o melhor frango assado. Confie em mim – não é complicado, é de primeira.

Frango com curry verde aromático

Fiz este prato a pedido do marido da minha irmã, que havia comido algo similar em um restaurante tailandês. Eu pesquisei diversas receitas e todas elas eram bem diferentes, assim utilizei-as como uma base e adicionei algumas ervas frescas, tentando tornar o prato o mais aromático possível. Se você for vegetariano, substitua o frango por legumes da sua preferência.

Para 4 pessoas
4 peitos de frango desossados e sem pele, cortados em 5 pedaços cada um
400 ml de leite de coco
1 punhado de sementes de pistache picadas

Pasta verde de curry
6 cebolinhas verdes lavadas e aparadas
4 – 6 pimentas (chilli) verdes médias, sem sementes e bem picadas
2 dentes de alho

1 colher (sopa) de raiz de gengibre fresco, descascada e bem picada
1 colher (sopa) de sementes de coentro, socadas ou esmagadas
½ colher (chá) de pimenta-do-reino moída na hora
sal grosso e pimenta-do-reino moída, a gosto na hora (N. do T.: A receita original pede Maldon sea salt, um sal produzido em Essex, no extremo sudeste da Inglaterra, a partir da evaporação natural da água do mar graças a condições climáticas muito favoráveis. Se você puder encontrá-lo, tudo bem, se não substitua pelo sal grosso, triturado ou não)
½ punhado de folhas de lima rasgadas
2 talos de capim-cidreira, aparados e bem picados
2 bons punhados de manjericão fresco no talo
3 bons punhados de coentro fresco no talo
3 colheres (sopa) de óleo de oliva extravirgem
raspa e suco de 3-4 limas, a gosto

Coloque todos os ingredientes dessa receita em um processador de alimentos e triture até obter uma pasta verde cremosa. Marine o frango em um pouco dessa pasta por 30 minutos. Em seguida, ponha um pouco de óleo de oliva e os pedaços de frango em uma panela do tipo caçarola ou em um wok (N. do T.: Espécie de frigideira chinesa em formato de bacia.) preaquecidos. Frite por 4 minutos, depois acrescente o que restou da marinada – cuidado, ela irá chiar e respingar da panela quente. Misture o leite de coco, leve à fervura e deixe no fogo por 8 minutos até que o frango esteja cozido. Tempere a gosto. O sabor deve ser forte, porém rico – bem fresco e aromático.

Salpique o pistache e algumas folhas de coentro e sirva com arroz no vapor ou macarrão tipo noodles, e Relish encorpado de coco, tomate, pepino e lima (veja na página 236).

O mais perfeito pato assado e cozido no vapor com mel e molho de ostras

Existem muitas receitas para preparar pato, mas esta é uma maneira absolutamente magnífica de fazê-lo e possibilita diversas formas de servir. Você pode assar o pato e servi-lo por inteiro, com legumes assados e um molho feito com seu caldo (veja abaixo). Você pode desossar o pato e servi-lo com cebolinhas verdes, pepino, pequenas panquecas chinesas e molho de ameixa. Ou pode comê-lo frio com salada no dia seguinte. Como todos sabemos, o segredo é fazer com que a pele fique crocante.

Para 4 pessoas

4 colheres (sopa) cheias de mel aromático
8 colheres (sopa) de molho de ostra
2 patos de 680 – 900 g (N. do T.: A receita original pede patos Gressingham, da região de Suffolk, na Inglaterra, ou Barbary, comuns na França – ambos com menor quantidade de gordura. Aqui podem ser usados patos silvestres, vendidos em alguns poucos estabelecimentos, ou ainda patos comuns, com peso aproximado ao pedido na receita.)
2 talos de salsão (aipo) em fatias bem finas
4 cebolinhas verdes picadas grosseiramente
6 dentes de alho descascados e esmagados
4 folhas de louro
1 punhado de manjericão e coentro rasgados
1 pimenta (chilli) vermelha fresca média em fatias bem finas
sal e pimenta-do-reino moída na hora

Preaqueça o forno na temperatura de 225°C. Para fazer o molho, coloque o mel e o molho de ostras em uma panela e aqueça levemente. Agora prepare os patos retirando qualquer excesso de gordura de suas cavidades. Lave-os por dentro e por fora e seque dando leves batidas com toalhas de papel. Coloque todos os legumes, o alho, as ervas e a pimenta em uma tigela, acrescente duas boas pitadas de sal e pimenta-do-reino, e misture tudo. Recheie os patos com esse preparado.

Acomode os patos sobre uma grelha dentro da assadeira (N. do. T.: Coloca-se o pato sobre ela e, durante o preparo, a gordura escorre para o fundo da assadeira, não ficando em contato com a carne.) – não é necessário, mas ajuda. Coloque aproximadamente 560 ml de água fervente no fundo da assadeira, cubra-a firmemente com papel-alumínio e leve ao forno por 1 hora. Isso irá cozinhar os patos no vapor e fará com que a gordura comece a sair. Após 1 hora, retire cuidadosamente os patos do forno e remova o papel-alumínio, com cuidado para não se queimar. Então, esticando o braço para longe de você, esfregue e comprima suavemente a pele do pato com o dorso de uma faca. Ao fazer isso, você verá muita gordura saindo da pele. Deixe que ela escorra na assadeira e, em seguida, despeje todo esse líquido do fundo da assadeira em uma tigela, onde ele irá decantar. Utilize a gordura que se alojar na superfície para assar batatas, e o caldo do fundo para fazer um molho depois (veja abaixo). Pincele inteiramente os patos com o mel e o molho de ostras – que irão cobrir toda a pele e cozinhar dentro dela, dando uma coloração escura e um sabor excelente.

Leve os patos novamente ao forno, tendo cuidado para que a pele não se queime ou toste (a propósito, cubra com papel-alumínio e abaixe o fogo se a carne estiver dourando muito), virando a assadeira quantas vezes achar necessário. A cada 10 minutos, pincele com o mel e o molho de ostras. Retire os patos do forno após 40 minutos, e deixe-os descansando enquanto você faz o molho. Quando os patos tiverem terminado de assar, a carne deverá estar cozida por inteiro (sem estar rosa) e a pele, crocante e fina, livre de quase toda gordura.

Molho à base do caldo do pato

Remova o excesso de gordura da assadeira e coloque-a sobre a boca do fogão. Esquente levemente para evaporar qualquer líquido restante, deixando uma calda grossa. Sacuda o pato para retirar o recheio e coloque-o na assadeira com o caldo do pato decantado (reservado previamente). (Se quiser, você pode acrescentar uma boa taça de vinho nesse momento – deixando que ele cozinhe por 1 minuto antes de adicionar o caldo.) Mexa até o caldo ficar reduzido à metade, garantindo que todos os componentes se dissolvam no molho. Passe o líquido por uma peneira, colocando-o em uma panela pequena e, em seguida, retire a camada que se formar na superfície. Tempere se necessário.

Galinha-d'angola cozida na panela com sálvia, salsão e laranjas sanguíneas

Esta é uma receita magnífica. A galinha-d'angola é preparada lentamente na panela, sendo refogada e assada. A riqueza da manteiga, junto com a sálvia e o alho, funciona soberbamente. Os aromas e sabores refrescantes da laranja, do tomilho e do salsão que recheiam a ave evaporam em seu interior, impregnando a carne do peito da ave. E o recheio também serve como um incremento encorpado e saboroso para o molho (veja página 128).

Para 4 – 6 pessoas

2 galinhas-d'angola de 900 a 1.100 g
8 laranjas sanguíneas (N. do T.: A laranja sanguínea é cultivada em algumas regiões do País. Se não encontrá-la, pode usar qualquer laranja doce.)
1 bulbo de salsão (aipo)
1 punhado pequeno de tomilho, picado
sal grosso e pimenta-do-reino moída na hora, a gosto (N. do T.: A receita original pede Maldon salt, um sal produzido em Essex, no extremo sudeste da Inglaterra, a partir da evaporação natural da água do mar graças a condições climáticas muito favoráveis. Se você puder encontrá-lo, tudo bem, se não substitua pelo sal grosso, triturado ou não)
1 colher (sopa) de óleo de oliva
6 dentes de alho, inteiros e com pele
85 g de manteiga
10 folhas de sálvia
350 ml de vinho branco seco frutado

Remova qualquer excesso de gordura do interior de cada galinha-d'angola. Lave-as completamente por dentro e por fora, e seque-as dando leves batidas com toalhas de papel. Corte as duas extremidades das laranjas, acomode-as sobre uma das extremidades e descasque-as cuidadosamente (de modo que, ao retirar um pedaço da casca, você possa ver o limite entre a polpa e a casca). Fatie cada laranja em 5 ou 6 rodelas. Retire as camadas mais duras e exteriores do salsão até ver o bulbo denso e branco e corte em fatias bem finas. Em uma tigela, misture as fatias do salsão, o tomilho e uma pequena pitada de sal e pimenta, depois preencha o interior de cada galinha-d'angola com esse recheio. Puxe a pele na frente da cavidade de cada galinha para cobrir o recheio, e amarre firmemente (veja página 120, preparação de frango).

Aqueça uma panela de fundo grosso e coloque o óleo de oliva e a galinha-

d'angola, cuja pele foi previamente esfregada com sal e pimenta. Cozinhe na panela tampada até que todos os lados dourem levemente, então acrescente o alho, a manteiga e a sálvia. Cozinhe por 3 a 4 minutos até que a carne fique bem dourada. Adicione o vinho em intervalos, o suficiente para manter a panela ligeiramente úmida durante todo o tempo. Depois leve ao forno à temperatura de 225°C por 45 minutos, conferindo a cada 10 a 15 minutos e repondo o vinho apenas quando necessário. A galinha-d'angola ficará assada e semicozida no vapor.

Quando a galinha-d'angola estiver cozida, tire-a cuidadosamente do forno e coloque-a com o peito virado para a travessa, deixando que todos os sucos e a umidade se acomodem nele por pelo menos 5 minutos. Enquanto a carne estiver descansando, faça o molho.

Molho à base do caldo da galinha-d'angola

Remova toda a gordura da assadeira e coloque-a em fogo leve. No fundo da assadeira estarão os dentes de alho inteiros, cozidos, macios e doces, e um magnífico creme pegajoso e de sabor concentrado – quando ela esquentar, retire o recheio do interior da galinha-d'angola e adicione à assadeira com uma taça de vinho. Conforme o vinho ferve e evapora, raspe o creme do fundo da assadeira com uma colher, misturando-o ao caldo. Quando estiver tudo dissolvido, deixe ferver um pouco. Com uma colher, esmague o alho cozido para fora da casca (descarte as cascas); isso engrossará levemente o caldo, ao mesmo tempo em que intensificará o sabor. Acrescente a esse molho todo o suco que escorreu das aves que descansavam, ferva e tempere a gosto. Sirva a galinha-d'angola com batatas cozidas e qualquer legume verde simplesmente cozido – espinafre, couve, pak choy ou brócolis.

Coelho cozido na panela com alecrim, tomilho, sálvia e limão

A carne do coelho possui um gosto sutil e agradável, além de absorver bem os sabores. As pessoas costumam associá-la a guisados e tortas, mas nesta receita ela é cozida rapidamente na panela.

Para 2 pessoas
1 coelho
1 limão maduro
sal e pimenta-do-reino moída na hora
1 colher (sopa) cheia de alecrim picado
1 colher (sopa) cheia de tomilho picado
1 colher (sopa) de óleo de oliva
1 pedaço pequeno e 1 pedaço grande de manteiga
8 folhas de sálvia
½ dente de alho em fatias bem finas
1 taça cheia de vinho branco

Você precisará de uma panela ou uma caçarola que possa ser usada sobre a chama do fogão e no forno. O coelho deverá ser cortado e dividido em quatro pernas e quatro pedaços de lombo – seu açougueiro fará isto, ou você poderá comprar o coelho já cortado no supermercado. Use um descascador para retirar apenas a parte amarela e aromática da casca do limão, e fatie-a grosseiramente. Esprema um pouco do suco sobre os pedaços de carne, o suficiente para umedecê-los. Tempere-os generosamente com sal e pimenta e passe-os no alecrim e no tomilho.

Aqueça o óleo de oliva em uma panela, acrescente os pedaços do coelho e o alecrim e o tomilho restantes, e frite-os rapidamente por cerca de 5 minutos ou até a carne ficar bem dourada; aproximadamente na metade desse processo, adicione a raspa do limão, um pedaço pequeno de manteiga e as folhas de sálvia (elas deverão ficar crocantes). Junte o alho e frite por mais 1 minuto para amolecê-lo, mas sem dourar. Coloque o vinho branco, que deverá chiar com a quentura. Por último, coloque a panela no forno por cerca de 10 minutos a 200°C. Retire-a do forno e passe um pedaço grande de manteiga por toda a carne. Então deixe o cozido descansar por alguns minutos – o vinho e a manteiga deverão criar um molho suave encantador.

Sirva com batata assada em fatias grossas e cebolas roxas assadas (veja página 153).

Presunto cozido com pudim de ervilhas

Isto me faz lembrar da minha avó, que costumava preparar este prato quando eu era um garoto. Ela cozinhava o presunto por horas na panela de pressão! É delicioso, especialmente com pudim de ervilhas e mostarda. Eu sempre compro o presunto não-defumado para este prato, porque não possui um sabor muito forte e você pode fervê-lo. Deixe as ervilhas partidas de molho no dia anterior.

Para 6 – 8 pessoas

1 pedaço (1,4 – 1,8 kg) de presunto cru, curado e desossado (N. do T.: A receita original pede hock bacon ou gammon, ambos termos que indicam um corte da parte traseira da perna do porco, que normalmente é vendida crua e curada. Aqui pode ser encontrado o presunto cru chamado serrano, salgado e desossado.)

Caldo

2 folhas de louro
3 dentes de alho
5 grãos de pimenta-do-reino
2 cebolas médias picadas grosseiramente
3 cenouras médias picadas grosseiramente
5 talos de salsão picados grosseiramente

Pudim de ervilhas (veja página 161)

Vegetais inteiros

12 cenouras pequenas inteiras
1 bulbo de salsão aparado inteiro
12 alhos-porós inteiros

O tempo de cozimento será de 25 minutos para cada 450 g mais 25 minutos. Ponha o presunto de molho em água fria por umas 2 horas para remover o excesso de sal; ou coloque-o em uma caçarola grande, cubra com água fria e deixe ferver lentamente, depois descarte a água.

Cubra a carne com água fria e adicione o resto dos ingredientes para o caldo, incluindo o pudim de ervilhas. Deixe ferver lentamente. Escume a superfície quando necessário e cubra com a tampa. Calcule o tempo de cozimento a partir desse momento e reduza para uma fervura suave. Aproximadamente 30 minutos antes do término do tempo de cozimento, eu gosto de pôr os legumes inteiros na panela para que cozinhem junto com a carne e o caldo. Quando o pernil, o pudim de ervilhas e os vegetais estiverem cozidos, tire-os da caçarola, corte as cenouras e o salsão em quatro pedaços e reserve. Remova a parte externa do pernil e o excesso de gordura.

Retire o pudim de ervilhas da musselina (veja pág. 161) e amasse, misturando-o bem com a manteiga e um pouco de pimenta-do-reino. Utilize um pouco do caldo peneirado como molho, ou como uma base para o seu molho, caso você o prefira mais encorpado. Sirva a carne quente com uma porção do pudim de ervilhas, os legumes, um pouco de molho e de mostarda inglesa. Congele o resto do caldo para fazer sopas.

CARNE MOÍDA

Eu uso bastante carne moída em casa, geralmente para fazer almôndegas e hambúrgueres. Compro um pedaço de carne apropriada para moer (pergunte ao seu açougueiro e ele poderá te aconselhar), e eu mesmo môo ou passo pelo processador de alimentos. A vantagem de você moer a carne é saber exatamente o que existe dentro dela, o que é tranqüilizador na hora de decidir se vamos prepará-la malpassada, ao ponto ou bem passada. Uma alternativa é escolher um pedaço de carne e pedir para seu açougueiro moê-la na sua frente. Não fique receoso com a gordura na carne – todos os tipos de carne moída, especialmente as lingüiças, precisam de uma boa quantidade de gordura para umedecer a carne naturalmente durante o cozimento, e a maioria da gordura desaparece durante o preparo (por isso a piscina de gordura que se forma ao cozinhar lingüiças).

Almôndegas

Para 4 – 6 pessoas

900 g de carne para moer ou de carne moída
2 fatias de pão
2 colheres (sopa) rasas de orégano seco
½ colher (chá) de sementes de cominho trituradas
½ pimenta (chilli) vermelha média triturada
1 colher (sopa) de alecrim fresco picado finamente
1 gema de ovo
sal e pimenta-do-reino moída na hora
4 colheres (sopa) de óleo de oliva
1 receita de molho de tomate (página 237)
2 punhados de manjericão fresco aparado e rasgado
60 g de queijo mussarela desmanchado em pequenos pedaços
60 g de queijo parmesão ralado

opcional

1 cebola em fatias bem finas
1 dente de alho
1 colher (sopa) de óleo de oliva
1 colher (sopa) rasa de mostarda Dijon

Se a carne ainda não estiver moída, passe-a por um processador até obter a consistência necessária e coloque-a em uma tigela. Utilize o processador para transformar o pão em migalhas. Acrescente essas migalhas, o orégano seco, o cominho, a pimenta, o alecrim e a gema de ovo à carne moída e tempere com 2 colheres (chá) rasas de sal e uma boa pitada de pimenta-do-reino. Nesse estágio você pode acrescentar os ingredientes opcionais (que já esfriaram após terem sido levemente refogados juntos, só até ficarem tenros). Misture bem, e, com as mãos úmidas, enrole e molde almôndegas do tamanho e formato que desejar. (Elas podem ser preparadas imediatamente ou colocadas em papel-manteiga, cobertas com filme e guardadas na geladeira por até um dia.)

Preaqueça uma caçarola de fundo grosso a uma temperatura bem alta, coloque 3 – 4 colheres (sopa) de óleo de oliva, gire o fundo da panela e acrescente as almôndegas. Frite-as girando a panela até ficarem totalmente marrons, com cuidado para não quebrá-las. Abaixe o fogo e cubra com o molho de tomate (veja página 237), uma boa porção de manjericão fresco rasgado, um pouco de mussarela em pedaços e de parmesão ralado. Leve ao forno a 200°C por cerca de 15 a 20 minutos, até que o queijo fique dourado.

VEGETAIS

Alcachofras cozidas com tomates-cereja, tomilho e manjericão

Do jeito que anda a oferta de vegetais, as coisas estão mudando bem rapidamente. (N. do T.: O autor se refere às condições na Inglaterra que, nesse caso da crescente oferta de vegetais, são mais ou menos parecidas com as nossas.) Mas, muitas pessoas se limitam àquilo que conhecem e, francamente, eu acho que elas estão perdendo tempo. Atualmente o supermercado padrão possibilita a escolha entre seis ou sete variedades de tomates, cinco a dez tipos de cogumelos e vegetais vindos de Deus sabe onde. Verduras e folhas para saladas são de boa qualidade e estão melhorando, mas são um pouco caras para o meu gosto. Eu acho que os supermercados não exploram a produção local tanto quanto poderiam, pois se isso acontecesse tenho certeza de que o frescor e a qualidade melhorariam (embora o preço possivelmente não). Iniciativas como o Tesco's Finest range (N. do T.: Linha de produtos criada e vendida pela maior rede varejista da Inglaterra, a Tesco), por exemplo, são passos na direção certa e poderiam ser ampliadas para incluir vegetais – dá para imaginar um supermercado cheio com a produção orgânica local? Beterrabas frescas com suas folhas, salsão, aspargos, couve-nabo, nabo, variedades especiais de batatas, abobrinhas com suas flores, acelga, favas –, a lista é interminável e todos esses vegetais crescem muito bem na Inglaterra. Eu sei porque meu pai os cultiva.

Como chef, no meu trabalho eu só compro e admito os melhores vegetais orgânicos, mas em casa eu não posso me dar ao luxo de comprá-los todos os dias – eles custam uma fortuna. Por isso eu faço uma concessão, mas acho que é preciso encontrar um equilíbrio que deixe você feliz. O fato é que os vegetais orgânicos são realmente mais gostosos e melhores para sua saúde, isso é óbvio. Eles não vêm em formatos e tamanhos idênticos, e geralmente não estão limpos e prontos para serem comidos – acho até que é por isso que, na Inglaterra, eles não se tornaram tão populares quanto deveriam, especialmente nesta época em que todos estão sempre ocupados e correndo de um lugar para outro. Mas para amigos, família ou ocasiões especiais vale a pena o esforço e o dinheiro. E, ao comprar vegetais da estação, você sempre conseguirá um preço mais barato e um produto de maior qualidade.

O único problema que eu vejo com frequência na cozinha das pessoas comuns é que os vegetais nunca são temperados apropriadamente. Sempre tempere os seus vegetais aos poucos, mexendo e provando várias vezes. A propósito, presenteie-se com um pacote de Maldon sea salt (N. do T.: Um sal produzido em Essex, no extremo sudeste da Inglaterra, a partir da evaporação natural da água do mar graças a condições climáticas muito favoráveis. Aqui pode ser substituído por sal grosso) – talvez você não acredite em mim, mas ele realmente tem um sabor muito melhor que o do sal comum.

ALCACHOFRAS

As alcachofras estão se tornando bem populares hoje em dia. Quando converso com meus amigos, a impressão que tenho é de que eles gostam delas inteiramente cozidas e servidas com muita manteiga, sal e pimenta-do-reino moída na hora. Sim, é adorável! Mas isso é apenas a ponta do iceberg. Elas podem ser comidas cruas em saladas, desmanchadas no último minuto em pratos com massas, fritas, assadas, refogadas e grelhadas.

Quando comprar uma alcachofra, tome cuidado para que ela não esteja manchada, machucada ou amassada. Elas devem parecer "enceradas", como se tivessem acabado de ser colhidas.

Preparação

Acho uma boa idéia usar um par de luvas de borracha para esta tarefa, já que as alcachofras costumam deixar as mãos pretas e podem ser muito espinhosas.

Corte os caules das alcachofras a uns 5 cm da base do coração e depois corte as alcachofras no sentido transversal na parte de cima das folhas. Arranque as folhas duras do exterior, uma por uma. Quando você tiver destacado todas as folhas externas que ficam antes das mais tenras, pare e retire a parte central da alcachofra com uma colher de chá, inserindo-a no centro da flor e girando-a cuidadosamente. Isso removerá todos os espinhos pilosos. (Depois de fazer uma vez, você saberá exatamente como inserir a colher da melhor maneira possível, sem quebrar as laterais da alcachofra.) Agora remova a camada fibrosa mais externa do talo com um descascador. Coloque as alcachofras na água com suco de limão espremido para impedir que escureçam.

Eu sei que esse processo todo pode soar um tanto exagerado, mas acho que vale a pena, e você certamente se tornará mais ágil nisso. Com um pouco de prática, cada alcachofra deverá levar apenas cerca de 1 minuto!

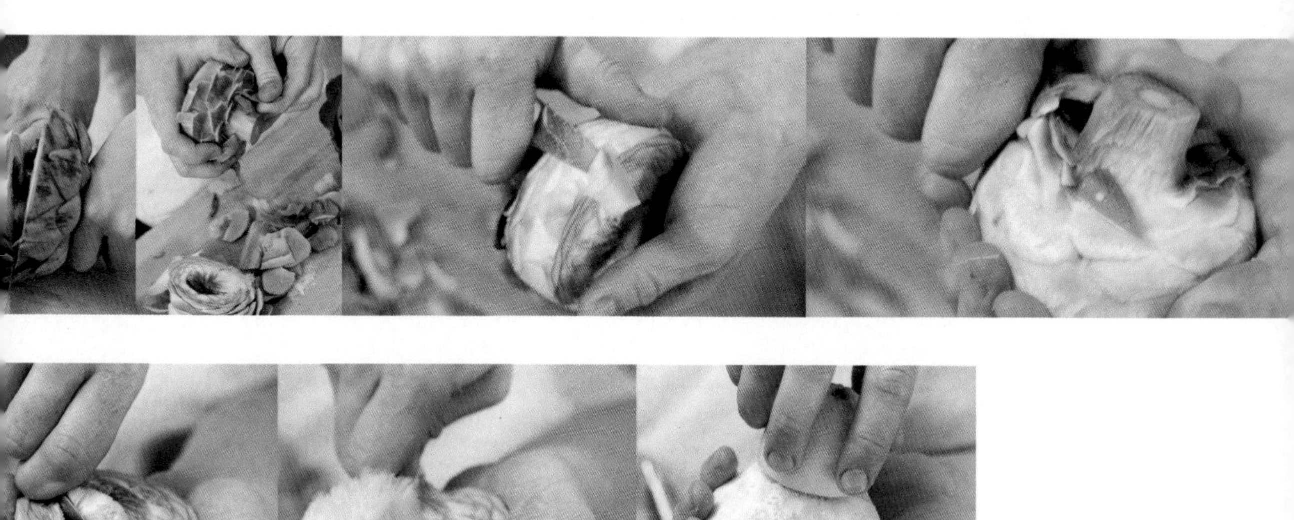

Alcachofras cozidas na panela com limão, tomilho e alho

Este é um modo delicioso de comer alcachofras e, com certeza, uma boa escolha caso você as esteja cozinhando pela primeira vez.

Para 4 pessoas

2 colheres (sopa) de óleo de oliva

1 dente de alho picado

suco e raspa de um limão não-encerado (N. do T.: Para preservar o frescor, algumas frutas cítricas são lavadas e enceradas antes de serem vendidas. Limões não-encerados são ideais quando a receita pedir o uso da raspa da casca. Se você encontrar apenas limões encerados, simplesmente esfregue a casca para remover a cera.)

8 alcachofras médias/grandes preparadas (veja na página 137)

1 punhado pequeno de tomilho fresco, com as folhas aparadas

85 ml de vinho branco seco

sal e pimenta-do-reino moída na hora

1 pedaço de manteiga

Coloque o óleo de oliva e o alho em uma caçarola de fundo grosso, bem quente. Deixe o alho amolecer, mas não dourar. Adicione ao alho pequenas tiras da raspa de limão, que não devem ter nenhum pedaço da parte branca, e mexa. Então acrescente suas alcachofras cortadas ao meio ou em quatro e misture de novo com uma pitada de sal. (Durante todo esse tempo você deve cozinhar em fogo baixo, de modo que os ingredientes "chiem" com a quentura, mas sem tostar ou dourar.)

Esprema o suco do limão dentro da panela, adicione o tomilho e deixe cozinhar por cerca de 3 minutos, até que todo o caldo tenha evaporado. Adicione o vinho, coloque a tampa e cozinhe as alcachofras por uns 10 minutos ou até que fiquem tenras. Retire do fogo e ajuste o tempero. Acrescente a manteiga, passando-a por toda a panela, recoloque a tampa e deixe descansar por 1 minuto. Sirva em seguida, acompanhando um peixe cozido ou carnes brancas, ou como um antepasto.

Alcachofras cozidas lentamente com tomates-cereja, tomilho e manjericão

Para 4 pessoas

4 alcachofras médias/grandes

óleo de oliva

sal grosso e pimenta-do-reino moída na hora (N. do T.: A receita original pede Maldon sea salt, um sal produzido em Essex, no extremo sudeste da Inglaterra, a partir da evaporação natural da água do mar graças a condições climáticas muito favoráveis. Se você puder encontrá-lo, tudo bem, se não substitua pelo sal grosso, triturado ou não.)

2 dentes de alho picados em fatias bem finas

1 punhado de folhas tomilho fresco

suco de ½ limão

10 tomates-cereja vermelhos maduros

10 tomates-cereja amarelos maduros

1 punhado de manjericão fresco rasgado

1 pimenta (chilli) vermelha pequena seca, adicionar a gosto

Um pouco antes de começar a cozinhar, prepare as alcachofras (veja na página 137) e corte-as em quatro partes. Frite-as levemente com um pouco de óleo de oliva e uma boa pitada de sal em panela de fundo grosso tampada por cerca de 4 a 5 minutos. Destampe e adicione metade do alho e metade do tomilho (que pode ser picado para intensificar o sabor). Deixe o alho amolecer. Coloque o suco de limão e continue a fritar até que toda a umidade tenha desaparecido.

Retire do fogo enquanto você lava e corta os talos dos tomates. Coloque-os em uma tigela com um pouco de óleo de oliva, metade das folhas de manjericão rasgadas, a pimenta seca, uma pitada de sal e de pimenta-do-reino. Misture bem e então acomode uniformemente em uma travessa de louça que possa ir ao forno.

Espalhe as alcachofras e o alho restante dentro da mistura de tomates. Polvilhe o restante do tomilho e do manjericão por cima. Tempere com sal e pimenta-do-reino e regue com um bom óleo de oliva. Leve ao forno por cerca de 40 minutos a 180°C. Você pode assá-las mais rapidamente se quiser, mas deve ficar de olho nelas.

Purê de batatas

Eu amo purê de batatas. Todos já fizeram esse prato antes, por isso não vou tentar ensinar uma nova receita, mas é preciso dizer que existe o bom purê e o purê ruim. Sem qualquer esforço extra, você pode fazer um purê delicioso e ter algumas simples variações para criar um jantar completamente diferente.

1,4 kg de batatas-inglesas cozidas
1 colher (sopa) de sal

Lave as batatas, descasque-as e lave novamente. Corte em pedaços do mesmo tamanho para que eles fiquem cozidos ao mesmo tempo. Cubra com água e adicione o sal. Ferva até que os pedaços fiquem tenros (até que a batata escorregue facilmente da lâmina da faca ao ser espetada – ou você pode simplesmente retirar um pedaço da panela e provar). Quando as batatas estiverem cozidas, coloque-as em um escorredor e deixe que descansem por 4 minutos, para que toda umidade escorra e evapore. Em seguida você pode colocar as batatas de novo na panela para serem amassadas; ou pode utilizar um espremedor de batatas (este é como se fosse um grande amassador de alho que empurra as batatas através de pequenos buracos).

VARIAÇÕES

Purê de batatas amanteigado

Acrescente 55 – 115 g de manteiga ao purê de batatas. Tempere a gosto com sal e pimenta-do-reino moída na hora. Adicione noz-moscada a gosto e misture.

Purê de batatas cremoso

Acrescente 85 g de manteiga e 150 ml de creme de leite integral ao purê de batatas. Tempere a gosto com sal e pimenta-do-reino moída na hora. Adicione noz-moscada a gosto e misture até o purê ficar macio e cremoso.

Purê de batatas com raiz-forte

Acrescente ao purê 55 g de manteiga e 2 colheres (sopa) bem cheias de molho ou creme de raiz-forte. Se tiver a sorte de encontrar um pouco de raiz-forte fresca, prefira assim – apenas lave-a, descasque e rale o equivalente a 1 colher e 1/2 das de sopa. Depois misture com 2 colheres (sopa) de creme de leite integral. Tempere a gosto com sal e pimenta-do-reino moída na hora.

A raiz-forte fresca ficará muito mais aromática e saborosa, e levemente mais picante.

Purê de batatas com parmesão e trufa

Acrescente 50 g de manteiga e 2 ou 3 punhados de queijo parmesão ralado. Misture bem e adicione 1 colher (sopa) de óleo de trufa (você pode adicionar a gosto).

Hoje em dia o óleo de trufa pode ser encontrado nos supermercados. Provavelmente nem todos são feitos com as autênticas trufas francesas. (N. do T.: O autor fala de trufas McCoy – o nome que designa as autênticas trufas de origem francesa, e que não é muito conhecido por aqui.) O que eu encontrei na semana passada era barato demais para ser dessa trufa, de qualquer modo é um sabor bem interessante e vale a pena experimentar.

Purê de batatas com azeitonas pretas

Compre 300 g das melhores azeitonas pretas (ou das suas preferidas) e retire os caroços. Passe cerca de 2/3 delas em um processador (ou pique bem fino) e pique grosseiramente o restante, para ficar com uns pedaços grossos também. Acrescente ao purê de batatas. Prove – provavelmente não precisará de sal, pois as azeitonas geralmente são bem salgadas, mas adicione um pouco de pimenta-do-reino moída na hora e 1 ou 2 colheres (sopa) de um bom óleo de oliva.

ASPARGO

Não há nada como um bom aspargo colhido na época certa. Simplesmente cozido, fervido, no vapor, grelhado ou assado, ele pode ser servido sozinho como entrada ou como acompanhamento de carne vermelha ou peixe. Quando compro aspargos, costumo procurar os rechonchudos e bem verdes, mas os finos também podem ser deliciosos. Evite sempre os talos ligeiramente brancos e lenhosos e os brotos. A maneira mais rápida de checar a qualidade do aspargo é segurá-lo em uma das extremidades e curvá-lo lentamente até que se quebre – ele deverá quebrar-se naturalmente quando o talo estiver adequadamente tenro para ser comido.

Eu não gosto de inventar muito com os aspargos – qualquer sabor que você adicionar deve ser sutil como um bom óleo de oliva ou manteiga, ou extremamente complementar como manteiga de anchovas ou queijo gorgonzola.

Aspargos fervidos com qualquer queijo interessante derretido

Quando volto para casa do trabalho, simplesmente compro qualquer queijo interessante que derreta facilmente e possa grudar nos meus lindos aspargos, formando uma cobertura. É um prato fácil de preparar e que sempre agrada.

Para 4 pessoas
680 – 900 g de aspargos frescos aparados e descascados se necessário
115 – 140 g de um queijo para derreter (gorgonzola, taleggio e parmesão são bons)
1 punhado pequeno de ervas frescas, incluindo manjericão, manjerona e salsa
sal e pimenta-do-reino moída na hora

Cozinhe os seus aspargos em água fervente com sal até que fiquem macios. Escorra a água e ponha os aspargos em uma tigela com o queijo despedaçado, as ervas e o tempero. Misture tudo até o queijo ficar parcialmente derretido e sirva.

Aspargos no vapor com limão e manteiga de anchovas

Esta é uma combinação perfeita – você não pode temperar os aspargos enquanto eles estiverem no vapor, já que o sal das anchovas irá temperá-los quando eles forem passados na manteiga. Confira as manteigas temperadas (veja na página 227).

Para 4 pessoas

55 g de anchovas, as melhores que você encontrar
140 g de manteiga
1 pitada pequena de pimenta (chilli) seca
pimenta-do-reino moída na hora
suco de 1 limão
680 – 900 g de aspargos frescos, aparados e descascados se necessário

Passe as anchovas por um processador (ou pique-as bem fino) e acrescente a manteiga, o chilli e a pimenta-do-reino. Adicione o suco de limão a gosto. Cozinhe os aspargos no vapor (em uma panela própria ou em um escorredor sobre uma panela) até que fiquem tenros – prove um. Você pode misturar a manteiga de anchovas com os aspargos antes de servir, ou simplesmente colocá-los em um prato com um pedaço de manteiga por cima.

Aspargos grelhados com óleo de oliva e sal marinho

Para 4 pessoas

680 – 900 g de aspargos frescos, aparados e descascados se necessário
4 colheres (sopa) de óleo de oliva extravirgem (ou manteiga)
sal grosso (N. do T.: A receita original pede Maldon sea salt, um sal produzido em Essex, na Inglaterra, a partir da evaporação natural da água do mar. Se você puder encontrá-lo, tudo bem, se não substitua pelo sal grosso, triturado ou não.)

Para esta receita, eu utilizo uma daquelas chapas que você só precisa pôr sobre o fogão e deixar esquentar. Acomode os aspargos sobre ela e deixe grelhar dos dois lados. Quando estiverem grelhados uniformemente deverão também estar perfeitamente cozidos. Sirva-os regados com o melhor óleo de oliva que puder encontrar (ou com manteiga), e temperado com sal a gosto.

Aspargos assados com tomates-cereja, azeitonas pretas e manjericão

Acho essa receita especial. A doçura dos tomates, o sabor marcante das azeitonas pretas, o aroma do manjericão fresco e o frescor dos aspargos formam uma combinação extremamente estimulante.

Para 4 pessoas

680 – 900 g de aspargos frescos, aparados e descascados se necessário
1 bom punhado de azeitonas pretas
20 tomates-cerejas pequenos, doces e maduros
3 colheres (sopa) de óleo de oliva
1 dente de alho em fatias bem finas
1 bom punhado de manjericão fresco
sal e pimenta-do-reino moída na hora
1 pequena pitada de pimenta (chilli) vermelha seca esmigalhada

Misture todos os ingredientes em uma tigela e coloque em uma panela quente ou em uma assadeira. Cozinhe em forno preaquecido a 225°C por cerca de 10 a 12 minutos, virando duas ou três vezes. Sirva.

Eu gosto de cozinhar um pouco mais o aspargo para este prato – não a ponto de ficar mole e cozido demais, mas de modo que, sem perder o formato, possa absorver todos os sabores adoráveis ao seu redor na assadeira.

Repolho refogado com bacon defumado e ervilhas

Este prato transforma o velho e chato repolho em algo completamente diferente. Fica bom servido com aves assadas (aves silvestres ou frango), ervilhas frescas e bacon defumado. E ao utilizar uma mistura de repolhoss você torna a textura, a coloração e o sabor mais interessantes.

Para 8 pessoas

1 repolho tipo savoy (de folhas verdes e crespas), e uma quantidade equivalente de brotos de repolho, de folhas de couve-de-bruxelas ou de couve-repolhuda

2 colheres (sopa) de óleo de oliva

6 tiras de bacon defumado cortadas em fatias de 1 cm

1 colher (sobremesa) de alecrim picado

1 e ½ dente de alho picado bem fino

140 ml de caldo de galinha ou de vegetais, ou água

170 – 200 g de ervilhas frescas descascadas

sal e pimenta-do-reino moída na hora

85 g de manteiga

Retire as folhas externas do repolho até encontrar as mais tenras. Se as folhas externas não estiverem murchas, amarelas ou comidas por lagartas, remova os talos duros e lave-as completamente (estas são normalmente as folhas mais verdes, mais adequadas para esta receita – elas têm um sabor e um aspecto melhores, porém precisam ser cozidas por um pouco mais de tempo). Pique essas folhas grosseiramente, acomode-as em uma tigela e reserve.

Remova a maior parte dos talos duros que ficam no interior tenro da couve e pique as folhas grosseiramente. Coloque o óleo de oliva em uma panela de fundo grosso e comece a fritar o bacon. Depois de 1 minuto adicione o alecrim e o alho, e misture para combinar os sabores – o cheiro será fantástico. Neste momento o alho deverá estar macio e levemente corado, enquanto o bacon começará a dourar. Adicione as folhas verdes externas do repolho e um pouco do caldo ou da água, mexa, tampe a panela e cozinhe por 1 minuto. Então acrescente o restante do repolho, as verduras, as ervilhas descascadas e uma pitada de sal e pimenta-do-reino. Mexa com a sobre do caldo.

Recoloque a tampa e cozinhe em fogo brando por 12 a 15 minutos até que a couve esteja tenra o suficiente para ser servida, mas mantendo a sua cor brilhante. Desligue o fogo, adicione a manteiga e deixe descansar por cerca de 5 minutos. Tempere antes de servir.

Vegetais chineses fritos com gengibre, molho de ostras e de soja

Para este prato eu utilizo qualquer combinação de bons vegetais chineses que encontro. É saboroso e muito rápido de fazer.

Para 4 a 6 pessoas

300 – 400 g de vegetais chineses diversos – pak choy, bok choy (N. do T.: Pak choy e bok choy também são tipos diferentes de uma mesma verdura chinesa. Não há tradução para esses nomes, mas eles também são conhecidos como repolho branco chinês e podem ser encontrados em lojas especializadas.), brócolis chinês (gai larn), baby espinafre
3 colheres (sopa) de óleo de noz
1 colher (sopa) de óleo de gergelim
½ colher (sopa) de gengibre em fatias bem finas
4 cebolinhas verdes
2 colheres (sopa) de molho de ostra
1 colher (sopa) de molho de soja
2 pitadas de açúcar
suco de 1 lima
sal e pimenta-do-reino moída na hora

Remova todos os talos externos dos vegetais que estiverem danificados. Deixe o espinafre reservado para ser colocado na panela ou no wok (N. do T.: Espécie de frigideira chinesa em forma de bacia) no último minuto, já que ele cozinha muito rapidamente. Prepare os outros vegetais; eu normalmente corto os brócolis chineses em tiras, e o pak e o bok choy em 4 partes. Mergulhe os vegetais em água fervente por cerca de 1 e 1/2 minuto, até que fiquem tenros, e escorra bem.

Coloque o óleo e o gengibre em um wok largo aquecido ou em outra panela apropriada e cozinhe por cerca de 30 segundos. Adicione as cebolinhas em tiras finas e o restante dos ingredientes, com exceção dos temperos. Mexa, depois acrescente o espinafre e misture de modo que tudo fique coberto pelo molho. Os vegetais irão "chiar" e fritar. Os molhos de ostras e de soja irão evaporar de modo a apenas cobrir os vegetais. Nesse ponto, tempere a gosto. Frite por mais 1 minuto e sirva imediatamente.

Abóbora assada picante

Para 6 pessoas

1 abóbora (abóbora-moranga ou menina brasileira) média/grande (N. do T.: A receita pede abóboras "butternut", espécie que tem um pescoço, ou "onion", redonda e com a polpa amarela e macia. Um equivalente nacional da "butternut" é a abóbora-menina brasileira, que também tem pescoço. Já o equivalente da "onion" seria a abóbora-moranga, que, apesar de não ter a polpa tão amarela e macia, tem a casca laranja mais fina.)
2 colheres (chá) de semente de coentro
2 colheres (chá) de orégano seco
½ colher (chá) de sementes de erva-doce (funcho)
2 pimentas (chilli) vermelhas pequenas secas (ou a gosto)
1 colher (chá) de sal
1 colher (chá) de pimenta-do-reino moída na hora
1 dente de alho
1 colher (sopa) de óleo de oliva

Lave a abóbora e corte-a ao meio com uma faca grande afiada. Com uma colher, retire as sementes (tente assá-las com um fio de óleo de oliva e um pouco de sal marinho e sirva com drinques, como um substituto do amendoim – ficam deliciosas). Corte a abóbora ao comprido em quatro partes e depois corte cada quarto ao meio – você terá pedaços de abóbora em formato de barco com aproximadamente 2,5 cm de espessura. Coloque-os em uma tigela.

Coloque as ervas secas e as especiarias em um almofariz e triture-as com o sal e a pimenta até obter um pó fino. Em seguida, adicione o dente de alho e triture-o junto com as especiarias. Raspe todo o conteúdo e ponha em uma tigela e acrescente 1 colher (sopa) de óleo de oliva. Passe completamente a abóbora nessa mistura de ervas e especiarias.

Acomode os pedaços de abóbora em fila, com a casca para baixo, em uma assadeira. Asse-os no forno a uma temperatura de 200°C por cerca de 30 minutos, ou até que fiquem tenros. O sabor picante será absorvido pela abóbora, e os pedaços ficarão ligeiramente tostados. A casca ficará caramelada e mastigável.

Eu uso esses pedaços de abóbora para diversas coisas: como base para pão, risoto, recheio de ravióli e como um acompanhamento para qualquer assado. A primeira vez que mostrei esta receita para minha mãe ela ficou receosa, mas acabou adorando o sabor. Agora nós comemos isso com bastante freqüência em casa. Experimente – é realmente gostoso, barato e acessível.

William HILL

en land
BROCULI
I
Lingo

Cebola roxa assada com tomilho e manteiga

Para 6 pessoas

Tente encontrar 6 cebolas roxas de mesmo tamanho (médias ou grandes). Remova a primeira camada de casca. Com uma faca, apare o fundo do centro da cebola, deixando-a com uma base plana, e faça 2 talhos em formato de cruz no topo, cortando até a metade da cebola (não atravesse a cebola com a faca, cortando-a em 4 pedaços). Enfie um pouco de tomilho fresco picado ou triturado nessas aberturas com uma boa pitada de sal (é importante colocar o sal bem dentro das aberturas) e um pedaço de manteiga. Eu prefiro assá-las em uma travessa de louça refratária sobre uma camada fina de sal marinho, ou eu as coloco junto com meu frango ou cordeiro assado e elas cozinham muito bem na mesma assadeira. Leve ao forno a uma temperatura de 200°C por 30 a 35 minutos.

Estas cebolas, tão saborosas e doces, são ótimas para acompanhar um assado.

Tempurá de vegetais

A massa do tempurá é muito útil e fácil de fazer. Você pode usá-la com praticamente qualquer vegetal, contanto que ele esteja cortado fino o suficiente para ficar cozido e tenro ao mesmo tempo em que a massa fica crocante. O bom tempurá deve ser crocante, e é o tipo de prato que deve ser servido assim que ficar pronto. Ele pode ser apreciado sozinho ou como entrada com uma salpicada de sal grosso, metades de limão ou lima e talvez alguns molhos. O tempurá pode também ser um ótimo acompanhamento, especialmente com uma carne ou um peixe cozidos de modo bem simples e uma salada.

200 g de farinha de trigo sem fermento
100 g de farinha de milho
água gelada (de preferência gasosa)
seleção de vegetais (veja abaixo)

Coloque as farinhas de trigo e de milho em uma tigela. Com o cabo de uma colher, ou com um hashi (palito japonês utilizado para comer), mexa a farinha na água gelada até que a mistura fique ligeiramente mais consistente que um creme. Não misture completamente, uma vez que o tempurá é conhecido por trazer caroços de farinha.

Mergulhe os vegetais picados (abobrinha, cebola, berinjela, cenoura, batata-doce, vagens finas, brócolis, cogumelos, ervas frescas, pak choy e bok choy – qualquer vegetal servirá, mas estes são os mais utilizados) na massa e sacuda para retirar o excesso.

Frite seus vegetais a 200°C em uma frigideira funda, de modo que eles fiquem cobertos pelo óleo (você pode utilizar um wok ou uma frigideira – só é necessário ter cerca de 7 cm de profundidade de óleo virgem), até que a massa fique levemente dourada e crocante. (Qualquer grande quantidade de óleo quente na cozinha, especialmente em woks, que nem sempre são muito firmes, me deixa muito assustado – por favor, tenha cuidado e fique de olho na frigideira.) Vire os vegetais de vez em quando para assegurar que ambos os lados ficarão igualmente cozidos e, então, pesque-os da frigideira com uma escumadeira, agitando um pouco para retirar qualquer excesso de óleo. Acomode-os em papel toalha e coma o mais rápido possível. Eu enfatizo que devemos comer o tempurá logo porque, conforme os vegetais começam a esfriar, eles soltam um vapor d'água, que deixa a massa cada vez menos crocante.

LEGUMES (GRÃOS)

DE GRÃO EM GRÃO

Atualmente, na Inglaterra, nós estamos ficando muito mais interessados em grãos secos. Eles são realmente nutritivos, muito baratos, e as opções e a qualidade estão definitivamente melhorando.

A idéia de secar grãos remonta a milhares de anos. Isso era feito para preservar estoques de comida, assim as pessoas podiam continuar comendo a produção local até muito tempo depois da colheita. Muito pouca coisa realmente mudou nos dias de hoje. A única condição para se ter uma produção de primeira é que ela seja cultivada em solo adequado e passe por uma boa escolha de grãos, que devem ser secos o mais cedo possível. Os grãos não devem estar sujos, conter pedras ou ter uma coloração desbotada. Um sinal de que os grãos estão velhos é quando eles começam a murchar e rachar. A maioria deles pode ser conservada por até um ano; depois disso, torna-se mais difícil de reconstituí-los e eles tendem a estourar ou partir na hora do cozimento.

No River Café, assim que os feijões frescos começam a perder qualidade (próximo ao final da estação) eles são secados imediatamente. Na minha opinião, grãos secos de boa qualidade são quase tão bons quanto os frescos. Você pode fazer muitas coisas com eles: colocá-los em saladas, guisados, sopas, cozidos, ou utilizá-los do mesmo modo que usaria um legume.

Como cozinhar grãos

Eu acho bom ter uma conversinha sobre o que faremos com esses grãos. É preciso que, antes de ir para a cama, você crie o hábito de despejar uma xícara cheia de grãos lavados em água gelada para deixar de molho durante a noite. Isto encurtará o tempo de cozimento no dia seguinte e impedirá que eles se partam durante o preparo. Feijão borlotti (feijão italiano rajado), cannellini (feijão-branco), feijão-fradinho, feijão-manteiga, grão-de-bico e ervilhas partidas, todos devem ficar de molho. Separe todos os grãos com aparência esquisita. Eu não deixo lentilhas de molho porque elas não demoram muito para cozinhar.

O tempo de cozimento tende a variar de acordo com o tipo de grão, com a idade dos grãos e o período em que ficaram de molho. De modo geral, após deixá-los de molho por uma noite, lave-os, coloque-os em uma panela com água fresca e, após levar à fervura, deixe-os cozinhando em fogo brando por cerca de 1 hora, ou até que fiquem tenros. Você pode colocar uma batata descascada ou um tomate com alguns talhos dentro da água com os grãos, pois isso ajudará a amolecer a casca. Pode também acrescentar algumas ervas ou um bouquet garni (N. do T.: O bouquet garni é um conjunto de ervas utilizadas para tempero, e normalmente contém tomilho, louro, salsinha com os talos e alho-poró.) para infundir um pouco de sabor. Às vezes eu coloco uma tira de bacon defumado, que é retirada e descartada depois que os grãos estão cozidos.

Feijões borlotti (feijões italianos rajados) com óleo de oliva e suco de limão

Os feijões borlotti combinam com carneiro e ficam ótimos em guisados, risotos e sopas. Esta é uma receita bem simples que você pode servir quente, como acompanhamento de qualquer assado, ou fria, misturada com um pouco de rúcula fresca em uma salada interessante ou ao lado de alguma boa carne curada como presunto de parma ou prosciutto.

Para 6 pessoas
340 g de feijão borlotti deixado de molho durante a noite
2 dentes de alho descascados
1 tomate maduro
1 ramo pequeno de sálvia fresca
molho de óleo de oliva e suco de limão (veja na página 42)
sal e pimenta-do-reino moída na hora

Enxágüe os feijões que ficaram de molho e adicione o alho, o tomate e a sálvia. Cubra-os com água gelada. Ponha para ferver, tampe a panela e cozinhe em fogo brando por 1 - 1 hora e 1/2 ou até os feijões ficarem tenros. Escorra e descarte o tomate, a sálvia e o alho. Enquanto os feijões estiverem quentes, regue-os generosamente com o molho de óleo de oliva e suco de limão. Ajuste o tempero e sirva quente ou frio.

Grão-de-bico marinado com chilli, limão e salsa

As pimentas chilli são a essência deste prato, não fique com medo delas. Elas não explodirão a sua cabeça porque, quando retiramos as sementes, apenas dão um sabor levemente picante, bem refrescante e aromático. Confie em mim!

Para 6 pessoas

1 punhado de salsa fresca com os talos separados das folhas e as folhas picadas grosseiramente
340 g de grão-de-bico deixado de molho durante a noite
1 batata grande descascada
2 dentes de alho descascados
molho de óleo de oliva e suco de limão (veja página 42)
2 pimentas (chilli) vermelhas médias (ou 4 pequenas) frescas, cortadas ao meio, sem sementes e picadas bem fino

Amarre os talos de salsa juntos. Enxágüe os grãos que ficaram de molho, adicione os talos, a batata inteira e o alho, e cubra tudo com água. Ponha para ferver, tampe a panela e cozinhe em fogo brando por 1 hora e 1/2, ou até que os grãos fiquem tenros, escumando se for necessário. Assim que cozinharem, descarte os talos, a batata e o alho. Escorra e, enquanto ainda estiverem quentes, cubra com o molho de óleo de oliva e suco de limão, as pimentas e as folhas de salsa picadas.

Este grão-de-bico fica encantador quando servido à temperatura ambiente acompanhando um peixe grelhado ou misturado em uma salada. E eu também gosto de comê-lo levemente amassado sobre um pão torrado.

Homus

Eu gosto de comer homus com cordeiro assado, ou como uma pasta para pães e torradas. E gosto especialmente de comê-lo no Kebab Kid (N. do T.: Lanchonete de comida árabe em Londres) mais perto da minha casa – um sanduíche extragrande de pão árabe recheado com homus, salada crocante e carne de cordeiro! Acredite, eu costumo ficar um pouco "embriagado" com isso e provavelmente não há nada no mundo com um sabor melhor! Mas, falando sério, todos gostam de homus, ele fica excelente com cordeiro e é muito fácil de fazer.

Para 4 pessoas
340 g de grão-de-bico deixado de molho durante a noite
1 pimenta (chilli) vermelha pequena seca
½ colher (chá) de sementes de cominho ou de cominho moído
sal e pimenta-do-reino moída na hora
1 dente de alho descascado
1 colher (sopa) e ½ de tahine (pasta de sementes de gergelim)
4 colheres (sopa) de óleo de oliva extravirgem
suco de limão a gosto (aproximadamente 2 colheres das de sopa)

Enxágüe os grãos-de-bico que ficaram de molho. Cubra-os com água e cozinhe por 1 hora e 1/2, ou até que os grãos fiquem tenros, escumando se for necessário. Escorra, e guarde um pouco da água do cozimento.

Em um almofariz esmague a pimenta chilli e o cominho com uma colher (chá) de sal. Pique o alho bem fino em um processador, depois acrescente o grão-de-bico, a pimenta chilli, o cominho e a tahine. Triture tudo até obter uma pasta. Adicione o sal, a pimenta-do-reino, o óleo de oliva e o suco de limão a gosto. Se preferir o homus ligeiramente menos consistente, acrescente a água do cozimento aos poucos até você ficar satisfeito. E está pronto!

Pudim de ervilhas

Esta é a minha versão do tradicional pudim de ervilhas. Ele combina perfeitamente com presunto cozido e mostarda inglesa. E fica realmente muito bom se você cozinhar todos os ingredientes, em um pedaço de musselina, junto com o presunto desde o início (veja página 131).

Para 6 pessoas

340 g de ervilhas amarelas partidas deixadas de molho durante a noite
1 batata pequena descascada
1 cebola pequena ou 1 chalota
1 dente de alho descascado
1 punhado pequeno de ervas (alecrim, sálvia, tomilho, louro)
2 cravos
30 g de manteiga
sal e pimenta-do-reino moída na hora

Enxágüe as ervilhas que ficaram de molho, acrescente a batata, a cebola, o alho, as ervas e os cravos, e cubra tudo com água fria. Ponha para ferver, tampe a panela, e cozinhe em fogo brando lentamente por cerca de 1 hora e 1/2, ou até que os grãos fiquem tenros. Escorra. Remova as ervas e os cravos. Em seguida amasse bem com a manteiga, o sal e a pimenta-do-reino. Sirva quente.

Lentilhas du Puy refogadas com alecrim e alho

Para esta receita você pode refogar as lentilhas no fogão ou no forno. Eu prefiro prepará-las no forno, desse modo você precisará de uma panela com uma tampa que se encaixe perfeitamente e que possa ser utilizada tanto no forno quanto no fogão. Assim elas ficam melhores do que as lentilhas que são simplesmente fervidas. Elas são um excelente acompanhamento para um pombo assado ou um veado grelhado.

Para 6 pessoas

55 g de pancetta ou bacon defumado
340 g de lentilhas du Puy (N. do T.: A lentilha du Puy é verde com manchas escuras, muito pequena e de pele fina. Ela é proveniente de Auvergne, uma região vulcânica no centro da França, que possui condições ideais para o seu cultivo. Se você não encontrá-la, pode substituir por lentilha comum.)
1 colher (sopa) de óleo de oliva
3 colheres (sopa) bem cheias de alecrim fresco picado
1 cebola roxa ou 2 chalotas picadas bem fino
2 dentes de alho picados bem fino
850 ml de caldo de galinha
2 colheres (sopa) de óleo de oliva extravirgem
½ colher (sopa) de vinagre de vinho tinto
sal e pimenta-do-reino moída na hora

Fatie a pancetta ou o bacon em tiras grossas. Dê uma lavada rápida nas lentilhas. Em uma panela de fundo grosso, esquente 1 colher (sopa) de óleo de oliva e adicione a pancetta. Frite-a até que fique levemente dourada e, então, acrescente o alecrim, a cebola e o alho. Cozinhe por mais 2 minutos, depois ponha as lentilhas e frite por cerca de 1 minuto. Adicione o caldo de galinha, tampe a panela, leve à fervura e cozinhe no forno por 1 hora a 160°C, ou até que a lentilha fique tenra, mexendo ocasionalmente. Neste momento, boa parte do caldo já terá sido absorvida. Acrescente 2 colheres (sopa) do melhor óleo de oliva extravirgem que encontrar, 1/2 colher (sopa) de vinagre de vinho tinto, pimenta-do-reino e sal a gosto (não se esqueça de que a pancetta é um pouco salgada). Sirva quente.

Feijão-fradinho com espinafre e vinagre balsâmico

Você pode servir este prato quente, sozinho, como um acompanhamento, ou à temperatura ambiente como uma salada ou um antepasto. Minha maneira favorita de servi-lo é acompanhando um porco assado suculento (veja na página 109).

Para 4 pessoas

340 g de feijão-fradinho deixado de molho durante a noite
2 dentes de alho picados
1 colher (sopa) de manteiga sem sal
1 e ½ colher (sopa) de óleo de oliva extravirgem
250 g de espinafre fresco picado grosseiramente
sal e pimenta-do-reino moída na hora
1 colher (sopa) de vinagre balsâmico

Enxágüe os feijões que ficaram de molho. Cubra-os com água, ponha para ferver e cozinhe em fogo brando por cerca de 1 hora, ou até ficarem tenros. Escorra. Frite o alho na manteiga e no óleo de oliva até dourar (vai levar apenas alguns segundos). Adicione os feijões-fradinho escorridos e o espinafre picado grosseiramente. Frite até o espinafre murchar (cerca de 1 minuto). Tempere e acrescente o vinagre balsâmico.

Feijão-manteiga com tomate marinado, chilli e manjericão

Experimente comer este prato apenas com uma salada verde, ou servido morno com um peixe branco assado, como bacalhau ou tamboril (N. do T.: No Brasil, o tamboril também é conhecido como peixe-sapo. E alguns estabelecimentos o chamam pelo nome inglês, monkfish). Também fica muito bom com frango e carne de porco.

Para 4 pessoas
340 g de feijão-manteiga deixado de molho durante a noite
11 tomates médios/grandes maduros
1 punhado grande de manjericão picado grosseiramente
2 pimentas (chilli) vermelhas médias/grandes frescas, sem sementes e picadas bem fino
1 ou 1 e ½ colher (sopa) de vinagre de vinho tinto
3 colheres (sopa) de óleo de oliva extravirgem
sal e pimenta-do-reino moída na hora

Enxágüe os feijões que ficaram de molho e cubra-os com água. Acrescente 1 tomate (a acidez do tomate amolece a casca do feijão). Leve à fervura, tampe a panela e cozinhe em fogo brando por cerca de 1 hora e 1/2, ou até que os feijões fiquem tenros.

Remova a parte central dos 10 tomates restantes e faça 2 talhos em formato de cruz no topo de cada um. Coloque em água fervente e remova bem rapidamente, ou quando você puder retirar a pele. Retire as sementes, pique os tomates grosseiramente, acomode-os em uma tigela e acrescente os outros ingredientes.

Escorra o feijão cozido (descartando o tomate que cozinhou com ele) e misture-o delicadamente com a marinada de tomates. Deixe descansar por cerca de 15 minutos, pois isso intensificará o sabor. Sirva morno ou frio.

Feijão-manteiga assado com alho-poró, queijo parmesão e creme

Eu gosto de comer esse feijão-manteiga como acompanhamento de um assado. Fica absolutamente magnífico! E é bom com costelas de carneiro fritas e um pouco de espinafre.

Para 4 pessoas

340 g de feijão-manteiga deixado de molho durante a noite
1 tomate (opcional)
3 alhos-porós médios
2 dentes de alho grandes picados
1 pedaço de manteiga
1 colher (sopa) de óleo
sal e pimenta-do-reino moída na hora
140 ml de creme de leite
1 punhado grande de queijo parmesão ralado

Enxágüe os feijões que ficaram de molho e acrescente o tomate (a acidez do tomate amolece a casca do feijão). Cubra tudo com água, ponha para ferver, tampe a panela e cozinhe por cerca de 1 hora e 1/2, ou até que os feijões fiquem tenros. Escorra (descartando o tomate).

Fatie os alhos-porós o mais fino possível, ao comprido e obliquamente. Frite-os com o alho em manteiga e óleo, e tempere com uma pitada de sal e pimenta a gosto. Coloque os feijões, misture um pouco e adicione o creme. Acomode em uma travessa rasa, polvilhe o queijo parmesão e asse em forno quente (230°C) por 10 a 15 minutos ou até dourar.

Feijões cannellini (feijão-branco) com vinagre de ervas

Quando penso em feijões cannellini, eu imagino um prato bem grande de sopa italiana cremosa com pedaços crocantes de pão e óleo extravirgem de oliva apimentado por cima (veja na página 19)

Para 4 pessoas
340 g de feijão cannellini (feijão-branco) deixado de molho durante a noite
2 colheres (sopa) de vinagre de vinho branco
4 colheres (sopa) de óleo de oliva extravirgem
ervas frescas
sal e pimenta-do-reino moída na hora

Enxágüe os feijões que ficaram de molho e cubra-os com água. Ponha para ferver e deixe cozinhar por cerca de 1 hora, ou até ficarem tenros. Misture-os delicadamente com os outros ingredientes. Sirva morno ou frio.

RISOTO E COUSCOUS

RISOTO

Se eu perguntasse às pessoas se elas preparariam um risoto em casa, imagino que a maioria responderia "não" e diria que risoto é apenas um prato de restaurante. Bem, eu suponho que elas estariam certas, já que atualmente a maior parte dos bons restaurantes inclui risotos em algum lugar dos seus cardápios. Mas risotos deveriam ser preparados em casa – você pode fazê-los facilmente, quentes, delicados e leves. Acho que alguns restaurantes corromperam o verdadeiro princípio e o modo de preparo. O risoto perfeito deve escorrer lentamente pelo prato, e não se parecer com um monte de argila ou uma torre – quando o risoto não se mexe, significa que está muito seco. Argh!

Certo, então você tem um pacote de risoto cheio desse arroz rechonchudo e suculento, e está à procura de coisas para complementá-lo. Você pode utilizar praticamente qualquer coisa para dar sabor ao risoto: raízes aromáticas, ervas, peixe, carne, cogumelos, sobras, moluscos, queijo, vinho... qualquer coisa mesmo. Apenas se lembre de que o próprio arroz já é gostoso e agradável de comer. Assim, todo sabor acrescentado deve ser bem delicado. Você precisa obter um bom equilíbrio entre o arroz e o sabor. O arroz deve ser cozido até ficar tenro, mas precisa manter uma boa consistência ao ser mordido. O molho que envolve e une o risoto deverá ser um caldo delicado, levemente engrossado com o amido que escorre suavemente do arroz (eu sei que não paro de falar "escorrer", mas o risoto, de fato, é algo que escorre).

De qualquer modo, vou apresentar um método básico para preparar um risoto decente e, em seguida, mostrarei cinco das minhas variações favoritas. Tenho certeza de que, depois que experimentar uma vez, você ficará surpreso com a facilidade de preparo. E, se não se sentir muito confiante, lembre-se de que este não é um prato de restaurante, é um prato de camponês!

Alguns pontos para serem lembrados

- Para um bom resultado compre arroz para risoto arbóreo ou carnaroli.
- Não lave o arroz, já que você quer que ele retenha todo o amido.
- Tente conseguir uma panela de fundo grosso, de preferência tão alta quanto larga. O fundo espesso permite um bom aquecimento por igual e as laterais altas ajudam a impedir que a umidade se evapore muito rapidamente.
- Consiga um bom caldo – o feito em casa é o melhor (veja nas páginas 223 a 226), mas, se não tiver tempo, você pode comprar um caldo pronto.
- Sempre tente utilizar queijo parmesão fresco (de preferência Parmigiano Reggiano) inteiro. O sabor é completamente diferente e é sempre melhor ralar o queijo um pouco antes de usá-lo. Deve ser empregado quase como um tempero extra que irá envolver todos os sabores. Está presente na maioria dos risotos, com exceção dos que levam frutos do mar.

Receita básica de risoto

Se você seguir esta receita, eu prometo que estará fazendo um dos melhores risotos que existem. Eu acredito que o verdadeiro segredo de um bom risoto é você ficar ao lado dele, dando o seu amor e atenção absoluta por cerca de 17 minutos. Mas o esforço vale a pena. A receita acontece em etapas. Depois, eu apresentarei cinco dos meus risotos favoritos – variações desta receita básica.

Para 6 pessoas

aproximadamente 1 litro de caldo (de galinha, peixe ou legumes, o que for mais apropriado – veja nas páginas 223 a 225)

1 colher (sopa) de óleo de oliva

3 chalotas ou 2 cebolas médias picadas bem fino

½ cabeça de salsão (aipo) picada bem fino (descarte qualquer haste exterior mais dura)

sal grosso e pimenta-do-reino moída na hora (N. do T.: A receita original pede Maldon sea salt, um sal produzido em Essex, no extremo sudeste da Inglaterra, a partir da evaporação natural da água do mar graças a condições climáticas muito favoráveis. Se você puder encontrá-lo, tudo bem, se não substitua pelo sal grosso, triturado ou não.)

2 dentes de alho fatiados finamente

400 g de arroz para risoto

100 ml de vermute branco seco (Martini Dry ou Noilly Prat) ou vinho branco seco

70 g de manteiga

85 – 100 g de queijo parmesão fresco ralado

Etapa 1. Esquente o caldo. Então, em uma panela separada, aqueça o óleo de oliva. Adicione a chalota ou a cebola, o salsão e uma pitada de sal. Refogue por cerca de 3 minutos. Acrescente o alho e, após mais 2 minutos, quando os vegetais estiverem tenros, junte o arroz. Aumente o fogo agora. Neste ponto crucial, você não pode se afastar da panela. Mas, de qualquer modo, este é o melhor momento.

Enquanto estiver mexendo lenta e continuamente, você estará começando a fritar o arroz e, como não quer que ele fique dourado, lembre-se de que você está no controle, e, se a temperatura parecer muito alta, diminua um pouco. Você deve manter o arroz em movimento. Depois de 2 ou 3 minutos, ele começará a ficar translúcido à medida que absorver todos os sabores de sua base (ele deverá estalar nesse momento, tudo bem). Adicione o vermute ou o vinho, sem parar de mexer – o aroma será fantástico! A bebida irá chiar ao redor do arroz, evaporando quaisquer sabores fortes do álcool e deixando o arroz com uma essência deliciosa.

Eu devo admitir que sou vidrado em vermute seco. Quando ele é cozido e absorvido pelo arroz, proporciona um sabor intenso, mas sutil, e deixa uma doçura que combina perfeitamente com o risoto. Vinho branco também é encantador, provavelmente mais delicado e refrescante. Experimente ambos – veja o que você acha.

Etapa 2. Assim que o vermute ou o vinho for absorvido pelo arroz, acrescente a primeira concha (sopa) de caldo quente e uma pitada de sal (coloque pequenas pitadas de sal a gosto enquanto você estiver acrescentando o caldo). Abaixe o fogo para uma fervura leve (a razão pela qual não queremos ferver tudo é que, se fizermos isso, o exterior do arroz ficará cozido e macio e o interior permanecerá cru). Continue adicionando conchas de caldo, misturando e esperando que cada concha seja absorvida antes de entornar a próxima. Isso levará uns 15 minutos. Experimente o arroz – está cozido? Continue a acrescentar o caldo até que o arroz esteja tenro, mas com uma leve consistência. Ajuste o tempero.

Etapa 3. Retire a panela do fogo e adicione a manteiga e o parmesão, reservando um pouco do queijo para salpicar por cima do risoto se você quiser. Misture delicadamente. Coma o mais rápido possível, enquanto ele ainda conserva a textura umedecida.

Sirva sozinho ou com uma salada verde refrescante e um pedaço de pão crocante. Lindo.

Risoto de feijão borlotti (feijões italianos rajados), pancetta e alecrim

Este é o meu risoto favorito – é absolutamente magnífico. O casamento entre a pancetta e o alecrim é divino, e os feijões borlotti têm uma aparência e um sabor ótimos, que dão uma qualidade peculiar ao risoto.

Este risoto é excelente com qualquer sobra de carne de coelho ou lebre, que pode ser desfiada e acrescentada no último minuto.

Para 6 pessoas

receita básica de risoto (veja na página 170), utilizando caldo de galinha ou de vegetais
55 g de pancetta ou de bacon defumado cortado transversalmente em fatias bem finas
2 colheres (sopa) de alecrim fresco picado bem fino
255 g de feijões borlotti (feijões italianos rajados) cozidos

Siga a receita básica de risoto. Frite as fatias de bacon até ficarem douradas e levemente crocantes e acrescenta-as na Etapa 1, junto com o alecrim. Na Etapa 3, adicione os feijões cozidos e mornos.

Risoto de cogumelos com alho, tomilho e salsa

O bom de um risoto de cogumelos é que você pode utilizar apenas um tipo ou uma mistura dos seus cogumelos preferidos. Hoje em dia, os supermercados oferecem uma grande variedade de cogumelos frescos: cogumelo ostra, shitake, castanha (chapéu marrom), girolle, chanterelle e blewitt. (N. do T.: É muito difícil, senão impossível, encontrar cogumelo "blewitt" – um tipo que tem o caule azul – aqui no Brasil. Mas, como diz o autor, use uma mistura dos seus cogumelos preferidos, ou apenas um.) Eu tento não lavar os cogumelos, uma vez que eles absorvem a água (o que você não deve querer) e, além disso, acabam sendo fervidos. Apenas retire qualquer sujeira ou pó com uma escova de confeiteiro ou um pano de prato bem limpo. Você pode fazer um bom risoto com cogumelos secos; porcini seco é muito bom e reconstitui facilmente.

Para 6 pessoas

receita básica de risoto (veja na página 170), utilizando caldo de galinha ou de vegetais
255 g de cogumelos (um tipo ou uma combinação deles)
3 colheres (sopa) de óleo de oliva
1 punhado pequeno de tomilho aparado e picado
1 dente de alho picado bem fino
sal e pimenta-do-reino moída na hora
1 punhado de salsa picada grosseiramente
1 pitada de chilli em pó
suco de limão

Corte os cogumelos em fatias finas, mas rasgue os girolles e chanterelles ao meio. Não cozinhe todos os cogumelos de uma vez – faça em duas ou três porções. Em uma panela bem quente, aqueça 1 colher (sopa) de óleo de oliva e adicione os cogumelos e o tomilho. Cozinhe por cerca de 1 minuto, misture tudo, depois acrescente o alho e uma pitada de sal. (É importante temperar os cogumelos levemente enquanto eles cozinham.) Deixe ao fogo por mais uns 2 minutos e, então, prove – se estiverem bem cozidos, acrescente um pouco de salsa, uma pequena pitada de chilli em pó e um pouco de suco de limão. Misture de novo, prove mais uma vez – agora eles devem estar praticamente perfeitos. Pique metade dos cogumelos cozidos.

Durante a Etapa 2 da receita básica, depois que você derramar a primeira concha de caldo, acrescente os cogumelos picados. Coloque o restante na Etapa 3.

Risoto de abóbora picante com tomilho e mascarpone

Para 6 pessoas

receita básica de risoto (veja na página 170), utilizando caldo de galinha ou de vegetais

abóbora assada picante (veja na página 148)

2 colheres (sopa) cheias de folhas de tomilho fresco

2 colheres (sopa) cheias de queijo mascarpone

Primeiro de tudo, asse a abóbora. Divida-a ao meio, retire a casca de uma das metades e pique-a grosseiramente. Com a outra metade, conservando a casca, pique ligeiramente mais fino. Na Etapa 1, coloque o tomilho. Na Etapa 2, acrescente a porção de abóbora sem a casca. Na Etapa 3, adicione o restante da abóbora (a porção com a casca) e o mascarpone.

Risoto de aspargo com hortelã e ervilha

Este é um ótimo risoto de verão. Ao comprar aspargos, sempre escolha os pequenos. As pontas não devem ter nenhuma flor ou broto. Quando compro ervilhas frescas, eu sempre as abro na loja e provo uma. Elas devem estar bem doces (mesmo cruas), com uma casca fina e delicada.

Para 6 pessoas

receita básica de risoto (veja na página 170), utilizando caldo de galinha ou de vegetais

455 g de aspargos

340 g de ervilhas frescas

1 punhado de hortelã fresca sem o talo, bem picada

1 punhado de queijo parmesão ralado

Apare os aspargos desde a parte abaixo das pontas até a base. Remova a base do talo e descarte-a. Corte as pontas dos aspargos e coloque-as de molho em água salgada até ficarem tenras. Então, pique bem fino o restante dos talos e reserve-os. Deixe as ervilhas de molho em água sem sal até ficarem tenras.

Ao final da Etapa 1, adicione os talos de aspargo picados grosseiramente e metade das ervilhas. Durante a Etapa 3, acrescente as pontas de aspargo que ficaram de molho, o restante das ervilhas e a hortelã a seu gosto. Sirva polvilhado com uma boa porção de parmesão.

Risoto de frutos do mar com erva-doce e chilli

Aqui está uma receita que pode ser utilizada com qualquer tipo de frutos do mar. Você pode comprá-los em diferentes estágios de preparação. Uma lagosta ou um caranguejo é um privilégio, e não há nada mais fresco que isso, mas frutos do mar preparados com boa qualidade também funcionarão com esta receita. Neste risoto eu substituo metade da manteiga por óleo de oliva – e, lembre-se, você não precisa de queijo parmesão.

Para 6 pessoas

receita básica de risoto (veja na página 170), utilizando caldo de peixe
400 g de frutos do mar (um único tipo ou uma combinação deles)
1 bulbo de erva-doce (funcho) grande picado bem fino (reserve as partes verdes de cima)
2 pimentas (chilli) vermelhas médias, sem sementes e picadas
6 filés de anchova (mesmo que você não goste de anchovas, deve acrescentá-las, já que elas darão uma certa intensidade de sabor ao risoto – ainda que você não sinta o sabor delas)

Primeiro prepare os frutos do mar (veja na página 178). Durante a Etapa 1, adicione a erva-doce e as pimentas picadas. Um pouco antes de acrescentar o arroz, coloque as anchovas e deixe que elas se dissolvam (cerca de 30 segundos). Na Etapa 3, um pouco antes de retirar a panela do fogo, acrescente os frutos do mar (apenas para aquecê-los, não para cozinhá-los). Polvilhe a erva-doce picada restante por cima e sirva.

Marinada para lagosta, caranguejo e pitu

2 colheres (sopa) de óleo de oliva
suco de 2 limões, ou a gosto
1 punhado de manjericão fresco picado
1 punhado de salsa fresca picada
sal e pimenta-do-reino moída na hora

(Para cozinhar e preparar lagosta veja na página 105.) Misture os ingredientes da marinada e ajuste o tempero.

Acrescente a lagosta e a carne de caranguejo diretamente à marinada. Os pitus não cozidos devem ser, primeiramente, salteados em um pouco de óleo de oliva e manteiga. E suas cascas têm de ser removidas.

Para preparar mexilhões e moluscos

óleo de oliva
½ dente de alho
um pouco de vinho branco

Lave e limpe bem os mexilhões. Descarte todos que já estiverem abertos. Pegue uma panela bem quente e coloque nela o óleo de oliva. Depois coloque o alho, os mexilhões, ou os moluscos, e vinho branco suficiente para cobrir a base da panela. Cubra com uma tampa bem justa e deixe cozinhar por 3 a 4 minutos, sacudindo a panela para que os mexilhões se abram. Retire a carne e descarte as conchas. Escorra o líquido do cozimento e guarde para utilizar como parte do caldo.

Para preparar peixe branco

óleo de oliva
sementes de erva-doce (funcho) esmagadas
pitada de chilli em pó
sal e pimenta-do-reino moída na hora

Use peixes como abrótea, tainha, bacalhau ou pargo. Asse ou frite o peixe em uma frigideira com um pouco de óleo de oliva. Antes de servir, polvilhe com sementes de erva-doce esmagadas, chilli em pó, sal e pimenta-do-reino moída na hora.

COUSCOUS

O couscous é tão saboroso, rápido de preparar, barato e versátil que eu não consigo entender por que ele não é mais amplamente utilizado na Inglaterra. Eu só posso presumir que as pessoas têm pouco conhecimento sobre este prato. O couscous vem da África do Norte e é processado a partir da semolina. Depois, é seco e enrolado em pequenas bolinhas. Ele existe há uma centena de anos. Você pode utilizá-lo da mesma maneira que o arroz – para absorver molhos, ou como uma salada, ou talvez, de um modo mais clássico, acompanhando um cordeiro guisado picante ao estilo marroquino.

Ao preparar um couscous, você está, na verdade, reconstituindo-o. Portanto, para servi-lo quente, é melhor prepará-lo de modo semelhante a um arroz cozido na água ou no vapor. Você pode derramar água ou caldo fervente sobre ele e deixá-lo descansar por cerca de 10 minutos. Ou pode cozinhá-lo no vapor em uma panela apropriada com uma tampa bem justa por 5 minutos. Se for usá-lo como salada, ele deve ser misturado cru com o molho e um pouco de água fria de modo que, após uns 15 minutos, os sabores e o aroma dos ingredientes sejam absorvidos pelo couscous (esta é a minha maneira preferida).

Couscous cozido no vapor em infusão com alcaravia e sementes de erva-doce

Este couscous é leve e macio e deve ser servido muito quente. Fica bom com guisado de carneiro ou de frango.

Para 4 pessoas
420 ml de caldo ou água
1 colher (sopa) rasa de sementes de alcaravia
1 colher (sopa) rasa de sementes de erva-doce
sal e pimenta-do-reino moída na hora
250 g de couscous
manteiga

Ponha o caldo ou a água para ferver com a alcaravia e as sementes de erva-doce. Tempere com sal e pimenta. Derrame o caldo sobre o couscous, misture e deixe descansar por 15 minutos. Coloque em uma travessa que possa ir ao forno, levemente untada com manteiga, e cubra com papel-alumínio também untado com manteiga. Leve ao forno a uma temperatura baixa (150°C) por cerca de 10 a 15 minutos para cozinhar suavemente cozido no vapor.

Couscous picante

O couscous picante fica adorável com carneiro grelhado ou assado, um pouco de molho feito com o caldo da carne e uma pequena porção de molho de hortelã ou de salsa verde (veja nas páginas 231, 233). Esta receita pode parecer um pouco complicada, mas leva apenas 20 minutos para ser feita e é muito fácil.

Para 4 pessoas
420 ml de caldo ou água
1 chalota ou cebola média picada bem fina
1 colher (sopa) de óleo de oliva
2 pedaços de manteiga
1 colher (chá) rasa de sementes de cominho
1 colher (chá) cheia de sementes de coentro
1 colher (chá) cheia de sementes de erva-doce
½ pimenta (chilli) pequena seca, ou a gosto
1 colher (chá) de sal
1 folha de louro
1 dente de alho picado bem fino
1 colher (sopa) de vinagre de vinho tinto
1 colher (chá) de açúcar
255 g de couscous

Ponha o caldo para ferver. Em uma panela alta de fundo grosso, frite lentamente a chalota ou a cebola com o óleo de oliva e metade da manteiga, sem dourar. Em um almofariz, soque o cominho, o coentro, a erva-doce, o chilli e o sal. (Se não tiver um almofariz, você pode abrir um pano de prato, colocar suas especiarias no meio dele, dobrar o pano e esmagá-lo com um rolo de pastel ou um martelo. Isso funciona bastante bem, mas tenha cuidado para não quebrar nada!) Adicione as especiarias, a folha de louro e o alho às cebolas e continue a fritar – elas devem ficar com uma textura e um aspecto pastosos, mas sem dourar ou queimar. Adicione o vinagre e o açúcar. Refogue até ficar parecido com um melaço. Acrescente o couscous e misture. Ponha o caldo quente e cozinhe por 15 a 20 minutos, mexendo ocasionalmente. Passe o restante da manteiga com um garfo para deixá-lo mais leve.

Salada de couscous

Quando é marinado em um molho de salada, o couscous conserva um pouco mais de consistência e textura do que quando é fervido ou cozido no vapor. Sirva este prato como uma salada principal, ou com pão árabe e frango grelhado. Fica bem conservado na geladeira até o dia seguinte. As ervas são muito importantes, mas você também pode fazer sua própria criação com outros ingredientes – experimente!

Para 4 pessoas
250 g de couscous
molho de óleo de oliva e suco de limão (veja página 42)
285 ml de água fria
2 pimentões vermelhos
2 chalotas pequenas ou 1 cebola roxa bem picada
½ dente de alho picado bem fino
1 pimenta (chilli) média fresca, sem sementes e picada
2 tomates, sem sementes e cortados em cubos
suco de 1 limão
1 colher (chá) de vinagre de vinho tinto
2 punhados de ervas frescas (manjericão, coentro ou salsa)
1 colher (sopa) de óleo de oliva
sal e pimenta-do-reino moída na hora

Coloque o couscous em uma tigela e misture-o com o molho de óleo de oliva e suco de limão. Adicione água, mexa, e deixe descansar por cerca de 15 minutos para que o molho seja absorvido. Enquanto isso, grelhe os pimentões inteiros, virando em intervalos, até escurecê-los completamente. Acomode os pimentões (ainda quentes) em uma tigela, cubra com papel celofane, abafando-os, e deixe que eles cozinhem no vapor. Depois, descasque-os, retire as sementes e pique bem fino. (Isso pode soar meio confuso, mas você pode fazê-lo enquanto o couscous está na marinada.)

Coloque os pimentões em uma tigela e adicione as chalotas, o alho, a pimenta chilli, os tomates, o suco de limão, o vinagre e as ervas. Regue com um pouco de óleo de oliva, tempere a gosto, e misture. Deixe descansar por 15 minutos, depois junte ao couscous.

PÃO

Pão enrolado, ciabatta, pão cottage

É surpreendente a quantidade de chefs que eu conheço que nunca fez um pão. Para mim foi o início de algo que eu não poderia mais parar de fazer. Se você vai jantar na casa de um amigo ou em um restaurante e encontra um pão caseiro, isso realmente faz diferença. E se o pão for bem-feito, não pode haver nada melhor. A primeira vez que eu fiz um pão corretamente foi em um castelo na França. Eu aprendi muitas coisas e passei a ter um grande respeito pelo *boulanger* (padeiro), mas o preparo parecia muito frio e meticuloso – o que era bastante compreensível, mas um pouco maçante.

Foi somente após conhecer Gennaro Contaldo, do Restaurante Neal Street em Covent Garden, que eu fui apresentado de uma maneira mais bem-humorada ao universo do pão. Pão grande, pão achatado, pão comprido, pão fino, pão enrolado, pão recheado, uma variedade de pães deliciosos – eram fáceis de fazer e tinham um sabor maravilhoso. Como eu estava muito ansioso para aprender, costumava trabalhar no restaurante por muitas horas. Eu acordava às 3 da madrugada, dirigia até Convent Garden sem pegar trânsito algum, e lá, por quatro horas e meia, eu fazia pães com Gennaro. No princípio eu apenas o observava, depois passei a ajudá-lo. Nada era tão meticuloso, mas, seguindo algumas regras simples e utilizando bons ingredientes (e um pouco de alma), o pão dele sempre ficava magnífico.

Nós fazíamos uma grande quantidade de massa simples, que era dividida, e a partir dela preparávamos cerca de oito pães diferentes. O mais legal era que, como Gennaro havia me ensinado, ele nunca afirmava que a maneira como ele fazia era imutável. Ele sempre deixava claro que as receitas estavam abertas para inovações, o que era bem generoso da parte dele, uma vez que a maioria dos bons chefs acha que seus métodos são os únicos. Gennaro não. Seu encorajamento não me sai da cabeça desde então.

Para mim, a preparação de um pão é uma arte, mas é necessário um pouco de destreza para se acostumar a tocar e a sovar a massa, o que pode soar como um clichê, mas é verdade. A primeira vez que eu comecei a trabalhar uma massa de pão com Gennaro, fiquei todo grudado. Havia massa por todos os lados. Gennaro riu e sugeriu que eu tratasse a massa como se fosse uma mulher – delicada e gentilmente, mas usando um pouco de força e vigor. Isso ajudou a melhorar a minha habilidade com os pães, e a minha vida sexual também! Esplêndido! Eu não me esqueço dessa experiência. Ela é a base de todo o meu trabalho com os pães. Basicamente, se você aprecia um bom pão e está com vontade de preparar um, já tem metade do caminho andado!

Receita básica de pão

Pão caseiro é algo fácil de fazer, versátil e que impressiona. Não importa se você o faz regularmente ou apenas para ocasiões especiais, é o seu pão e tem a sua personalidade. Depois que você fizer um desses pães, eu tenho certeza de que experimentará outros, e aí não irá parar mais!

Esta é uma ótima receita. Apenas um conjunto básico de ingredientes. E ela é dividida em etapas, de modo que você pode experimentar qualquer uma das variações de cada fase.

30 g de fermento fresco ou 21 g de fermento seco
30 g de mel (ou açúcar)
600 ml de água morna
500 g de farinha de trigo (N. do T.: A receita original pede farinha forte – um tipo de farinha que tem mais glúten e que, aqui no Brasil, é vendida apenas em grandes quantidades para panificadoras. Mas você pode utilizar a farinha de trigo comum.)
500 g de semolina
30 g de sal
um pouco de farinha extra e semolina para polvilhar

Etapa 1. Dissolva o fermento e o mel (ou açúcar) em metade da água morna.
Etapa 2. Na maior superfície limpa disponível (pode até ser em uma tigela grande, caso haja uma limitação de espaço), faça um monte de farinha de trigo, farinha de semolina e sal. Com uma mão, faça um buraco no centro.
Etapa 3. Despeje toda a mistura de fermento dissolvido no centro. Com quatro dedos de uma mão faça movimentos circulares, partindo do centro para a parte exterior, trazendo lentamente os ingredientes secos para dentro até que a mistura de fermento esteja saturada. Então despeje a outra metade de água morna no centro e incorpore gradualmente toda a farinha para fazer uma massa umedecida. (Certas farinhas podem precisar de um pouco mais de água, portanto não fique com medo de ajustar as quantidades.)
Etapa 4. Sovar! Esta é a melhor parte, apenas enrole, empurre e dobre a massa várias vezes por 5 minutos. Isso irá desenvolver a estrutura da massa e o glúten. Se a massa grudar em suas mãos, apenas esfregue-as com um pouco de farinha extra.
Você pode fazer as etapas 2, 3 e 4 em um processador se preferir, utilizando o acessório para massas.

Etapa 5. Agora passe farinha nas duas mãos e polvilhe levemente o topo da massa. Deixe-a com um formato circular e acomode-a em uma assadeira. Faça talhos na massa com uma faca – isso permite que ela cresça mais rapidamente enquanto descansa.
Etapa 6. Deixe a massa descansar para crescer pela primeira vez. Basicamente, nós queremos que ela dobre de tamanho. Esta é provavelmente a melhor hora para preaquecer o forno (veja as temperaturas do forno para cada tipo de pão). Você precisa de um lugar morno, com umidade e longe de correntes de ar para que a massa cresça bem rapidamente. Pode ser perto do fogão ou em um quarto onde não vente, por exemplo. E você pode cobrir a massa com filme plástico se quiser acelerar o processo, que deve levar aproximadamente de 40 minutos a 1 hora e 1/2, dependendo das condições.

Vamos falar um pouco sobre o crescimento, assim você poderá entender o que está acontecendo. Nesse momento, o fermento está se alimentando do mel ou do açúcar no calor da água morna. Na teoria, as três coisas que todas as bactérias precisam para crescer são: calor, umidade e alimento. Qualquer excesso dessas três coisas irá matar o fermento (assim como o sal que nós utilizamos para temperar a massa também o mata – o pão não ficaria tão bom sem ele, mas o sal realmente reduz um pouco o crescimento).

Etapa 7. Pronto, a massa dobrou de tamanho e já é hora de voltar a bater. Amasse e esmurre a massa, expelindo todo o ar dela, por cerca de 1 minuto.
Etapa 8. Modele a massa no formato que você quiser – redondo, achatado, rechonchudo ou qualquer outro (veja as variações nas páginas seguintes) – e deixe crescer mais uma vez em um local morno até dobrar de tamanho.

Agora o mais importante é não perder a confiança. Se você acha que a massa não cresceu o suficiente, deixe-a descansar mais um pouco e verifique se a temperatura do local está morna e se não há correntes de ar.

Etapa 9. Chegou a hora de assar o pão. Depois de todo o trabalho, não desperdice os seus esforços. Você precisa manter o ar dentro do pão, portanto não bata nele. Coloque-o muito cuidadosamente dentro do forno e feche a porta sem bater. Asse o pão de acordo com a temperatura e o tempo indicados nas receitas das páginas seguintes, ou até que ele esteja cozido. Você pode saber quando ele está pronto dando uma batidinha em sua base (se estiver em uma assadeira, você terá de retirá-lo) – se fizer um som oco, está cozido, do contrário, coloque-o rapidamente no forno para um pouco mais de tempo.
Etapa 10. Acomode o pão em uma estante e deixe-o esfriar – para saber o tempo de cozimento exato, veja cada uma das variações da receita.

Focaccia

Para 2 focaccias grandes ou 4 pequenas

Este é o meu pão italiano achatado favorito. Não é difícil de fazer. Siga a receita básica até a *etapa 8*, então divida a massa ao meio ou em quatro partes. Enrole ou pressione os pedaços para que eles fiquem com um formato oval com aproximadamente 1,5 cm de espessura. Não se preocupe em ser perfeito, este pão deve ter um aspecto grosseiro e rústico – o que é uma grande desculpa para um iniciante! Acomode os pedaços de massa em uma assadeira generosamente polvilhada com semolina e cubra-os uniformemente com uma das coberturas mostradas abaixo. Finalmente, faça aqueles furos característicos, enfiando todos os seus dedos dentro da massa muitas vezes, o que permitirá que o sabor da cobertura penetre no pão. Depois 45 minutos, aproximadamente, a massa terá crescido até aquela altura clássica de 3 cm de altura.

Na *etapa 9* da receita básica, utilizando a temperatura mais alta do seu forno, asse por cerca de 15 minutos até que o pão fique pronto. Assim que a focaccia sair do forno, regue com o seu melhor óleo de oliva e salpique com um pouco de sal marinho. Você pode comê-la assim que esfriar ligeiramente.

COBERTURAS

Abaixo estão algumas coberturas que eu gosto, mas se você mesmo criá-las pode ser muito divertido. As coberturas não devem ser pesadas, apenas uma leve pitada de sabores interessantes. Tente tomates secos marinados, azeitonas verdes ou pretas, ervas misturadas, óleos de ervas, alguns queijos interessantes (mas não muito; os italianos provavelmente aproveitariam qualquer queijo velho e seco para isso).

As quantidades a seguir são para a receita inteira do pão, mas você também pode querer preparar quatro coberturas diferentes para quatro focaccias pequenas. Nesse caso apenas divida as quantidades adequadamente.

Cobertura de manjericão e óleo de oliva

Esta cobertura é a mais fácil e é muito saborosa. Pique bem 1 dente de alho e 1 ramalhete de manjericão. Adicione o óleo de oliva (aproximadamente o triplo da porção de manjericão e alho), um pouco de suco de limão, sal, pimenta-do-reino moída na hora e, quem sabe, 1 pimenta chilli seca esmagada – dá um toque picante interessante! Seja sutil.

Cobertura de batata e alecrim

Lave cerca de 15 batatas, depois as fatie o mais fino possível. Coloque-as em água fervente salgada (ou com hortelã) por 2 minutos. Escorra as batatas, acomode-as em uma tigela e cubra-as com uma quantidade generosa do seu melhor óleo de oliva. Tempere com sal e pimenta-do-reino moída na hora, adicione 1 dente de alho picado bem fino e um punhado de alecrim fresco picado. Cubra o pão com essa mistura, pressionando-a na massa. Fica muito bom se você jogar um pouco de alecrim por cima antes de assar, para dar um aspecto bem rústico.

Cobertura de cebola

Eu sou viciado em cebola frita! Esta cobertura é saborosa, leve e aromática. Descasque 3 cebolas roxas de tamanho médio (ou 6 chalotas). Corte-as ao meio, do centro para o topo, depois fatie bem as metades. Aqueça uma frigideira com boa quantidade de óleo. Adicione 1 dente de alho picado bem fino, 1 bom punhado de folhas de tomilho, e então acrescente as cebolas. Adicione 1 pitada de sal e frite rapidamente, sem parar de mexer, por 4 minutos (a idéia é cozinhar rapidamente e caramelar as cebolas, sem dourá-las demais ou queimá-las). Em seguida, acrescente 3 colheres (sopa) de vinagre de vinho tinto e cozinhe por mais 4 minutos. Coloque um pouco de sal e pimenta-do-reino moída na hora, e um pouco mais de óleo de oliva. Cubra seu pão com essa mistura, depois jogue algumas folhas de tomilho sobre ele. Vai ficar lindo!

Pão de cerveja

Pão de cerveja

Para 1 pão grande

Na *Etapa 1*, você troca a água pela sua cerveja favorita e segue o método até a *Etapa 8*. Faça 6 bolas de massa com o mesmo tamanho e coloque-as uma ao lado da outra em assadeira de bolo circular untada (1 bola no centro e 5 bolas ao redor). Polvilhe com um pouco de farinha ou com algumas sementes de alcaravia. Então deixe crescer até que a massa dobre de tamanho (as bolas vão se grudar). Na *Etapa 9*, asse o pão a 225°C por 20 a 25 minutos ou até que esteja pronto. Deixe esfriar por pelo menos 45 minutos.

Este pão não guarda um sabor forte de cerveja – apenas um toque do malte.

Pão enrolado

Eu gosto de fazer este pão com pesto roxo, mas com pesto verde também fica bom. (A receita para pesto está na página 232). Siga a receita básica de pão. Na *Etapa 8*, divida a massa em 2 partes iguais. Abra cada pedaço de massa em folhas quadradas com 1 cm de altura e 30 cm de comprimento. Cubra generosamente cada folha de massa com pesto e enrole como um rolo suíço. Depois, com uma faca bem afiada, corte de um lado a outro em fatias de 4 cm de largura. Coloque as fatias próximas umas das outras em uma assadeira untada, com o lado cortado voltado para cima. Na *Etapa 9*, asse a 225°C por 15 a 20 minutos. Deixe esfriar por 30 minutos antes de comê-los.

Pão cottage

Para 2 pães

Siga a receita básica até a *Etapa 8*, então divida a massa em 2 partes iguais. Faça uma bola irregular com cada parte de massa e dobre os lados de baixo em direção ao centro. Acomode os pães em uma assadeira polvilhada com semolina, depois pressione suavemente a superfície deles para achatá-los um pouco. Polvilhe os pães com farinha e, com uma faca, faça 4 talhos no topo deles. Deixe-os crescer por cerca de 45 minutos a 1 hora. Na *Etapa 9* da receita básica, asse-os por 20 a 25 minutos a 225°C. Quando estiverem prontos, deixe-os descansar por pelo menos 1 hora antes de comê-los.

Pão snap

Este pão é uma boa maneira de aproveitar sobras de massa. Portanto, você não precisa preparar toda a quantidade da receita básica, a menos que queira fazer uma porção deles. Eles se conservam bem em recipientes herméticos por cerca de duas semanas, e podem ser congelados.

Após a *Etapa 7* da receita básica, abra sua massa em uma folha fina, cerca de 1 cm de altura e 30 cm de comprimento. Polvilhe generosamente a superfície do pão com farinha e utilize uma faca larga ou um cortador de pizza para fatiar a massa em tiras de 1 cm de largura. Acomode-as em uma assadeira bem polvilhada com semolina. Deixe crescer por 1/2 hora. Na *Etapa 9*, asse as tiras de pão por cerca de 10 minutos a 200°C (a intenção é retirar toda a umidade delas para que fiquem crocantes). Este pão é uma boa opção para ocasiões em que você convida os amigos para beber algo. Basta servi-lo com um pouco de homus, guacamole, pasta de azeitonas pretas, salsas, relishes ou qualquer coisa desse tipo.

Ciabatta

Para 3 ciabattas

Siga a receita básica, adicionando cerca de 6 colheres (sopa) de óleo de oliva na *Etapa 8*. Então divida a massa em 3 partes iguais. Usando as duas mãos, enrole cada porção, dando o formato de uma salsicha de 25 cm. Em seguida, utilizando a base da sua mão, pressione cada centímetro em toda a extensão da massa para alargá-la e achatá-la. Depois que fizer isso, a massa deve ficar com um formato de aproximadamente 30 cm de comprimento, 2,5 cm de altura e 10 cm de largura. Acomode a massa em uma assadeira generosamente polvilhada com semolina, salpique-a com farinha e faça uns 5 talhos em diagonal na sua superfície.

Deixe que a massa cresça por uns 45 minutos. Na *Etapa 9* da receita básica, asse os pães por aproximadamente 25 minutos a 225°C, ou até ficarem prontos. Devem esfriar por cerca de 1/2 hora antes de serem consumidos.

Pão snap

Pãezinhos (pão francês)

Para cerca de 12 pãezinhos médios

Antes de começar a fazer estes pãezinhos, aqui estão algumas sugestões de sabores para você se divertir, algumas bem fáceis, outras mais fáceis ainda. Mas eu realmente espero que você experimente criações próprias. Não se esqueça de separar os seus sabores antes de começar a fazer a massa.

Siga a receita básica até a etapa 4, depois divida a massa em porções, uma para cada tipo diferente de pãozinho que você quiser. Pressione imediatamente o sabor escolhido dentro da massa (todos os sabores devem estar à temperatura ambiente) e, em seguida, deixe-a crescer. Isso levará uns 40 minutos. Quando ela dobrar de tamanho, volte a amassar como na *Etapa 7*. Durante a *Etapa 8*, sem esquecer que a massa ainda dobrará de tamanho, molde-a nos formatos e nos tamanhos que quiser (o formato de um charuto gordo e circular seria bom). Acomode os pãezinhos em uma assadeira coberta de semolina, polvilhe-os com um pouco de farinha e, com uma faca afiada, faça um talho em cada um deles. Na *Etapa 9*, asse-os a 225°C. Confira os pãezinhos depois de 10 minutos – o tempo de preparo varia de acordo com o tamanho deles. Coloque-os sobre uma prateleira e deixe-os descansar por pelo menos 15 minutos antes de comê-los.

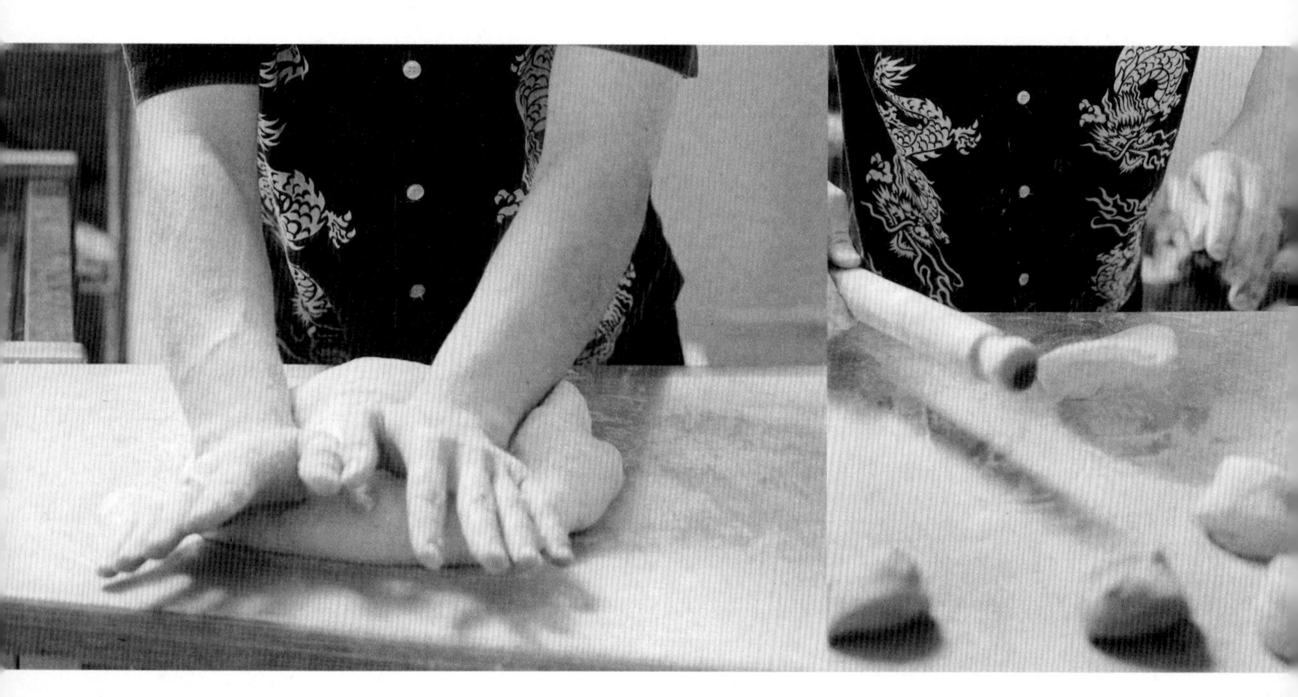

Pãezinhos simples aromáticos

Só o fato de ser um pãozinho simples já é adorável – você não precisa fazer nada além de moldar, deixar crescer e assar. No entanto, você pode perfumar a massa com algumas ervas picadas, como tomilho, alecrim, orégano, segurelha de verão e de inverno, manjerona, manjericão ou cebolinha; ou algumas especiarias trituradas, como sementes de coentro, de alcaravia, de salsão, de mostarda, de erva-doce, ou pimentas chilli. Você pode usar cada ingrediente separadamente ou combinar dois tipos. A última coisa que eu pretendo fazer é dar pesos e quantidades; você vai determiná-los de acordo com o seu gosto.

Pessoalmente eu sou mais generoso com as ervas do que com as especiarias, já que acho que as últimas devem ser sempre mais sutis.

Pãezinhos de avelã assada e damasco

Estes pãezinhos precisam de quantidades aproximadamente iguais de avelãs e de damascos secos (os damascos semi-secos, mais úmidos, são melhores para esta receita). A porção total de avelãs e damascos deve ter mais ou menos o equivalente a 1/4 do peso da massa a ser utilizada, mas a quantidade de cada um dos ingredientes pode variar.

De modo bem simples, asse as avelãs no forno com um fio de óleo de oliva e uma pitada de sal até dourá-las (isso não demora e é muito fácil queimá-las). Fica bom se você esmagar ou picar metade das avelãs para dar textura e aparência. A mesma idéia vale para os damascos secos.

Pãezinhos de abóbora picante

Não torça o nariz para esta idéia (como a minha mãe fez!). É um sabor realmente interessante. Eu fiz este pão pela primeira vez para aproveitar uns restos de abóbora assada picante. Piquei tudo e enfiei na massa, e fiquei surpreendido com o resultado. Foi uma grande contribuição para um almoço de verão, servido ainda morno com um naco de queijo brie macio, um monte de salada e uma cerveja. Para esta receita você precisará de uma porção da abóbora mostrada na página 148 – e, novamente, ela deve ser equivalente a 1/4 do peso da massa a ser utilizada.

Pizzas

Para 4 pizzas

Eu faço pizzas em casa o tempo todo. Gosto de fazê-las bem finas para conseguir um equilíbrio melhor entre a cobertura e a base. (Eu sempre como uma e congelo as outras três, semi-assadas por 5 minutos sem cobertura – são ideais para quando você chega em casa tarde do trabalho.) Pessoalmente não gosto de massas muito grossas; elas devem ser bem crocantes e delicadas. Eu mostrarei as minhas coberturas favoritas (cada uma suficiente para 1 pizza), mas você obviamente terá as suas.

Primeiro prepare a cobertura escolhida (veja as sugestões abaixo). Siga a receita básica até a *Etapa 8*, então divida a massa em 4 pedaços iguais. Enrole cada porção, formando uma bola, polvilhe um pouco de farinha na superfície de trabalho e abra a massa com um rolo ou com a mão (sempre levando o rolo para frente e virando 45° depois de cada passada). Deixe a massa com cerca de 3/4 cm de altura (para que cresça até 1 cm de altura), sem esquecer que pizzas não precisam ser perfeitamente redondas. Acomode em uma folha de papel-alumínio ou em uma assadeira levemente untada e acrescente as coberturas. Não é necessário deixar a massa da pizza fina crescer como você faz com o pão, por isso 10 minutos de descanso já devem bastar, e ela continuará crescendo dentro do forno. Na *Etapa 9*, asse por cerca de 10 minutos a 240°C, até que a massa fique crocante e dourada e a cobertura pareça cozida. Coma o mais rápido possível.

Se for usar uma base de pizza congelada, não é preciso descongelá-la. Coloque a cobertura sobre a base congelada e asse por mais 5 minutos a 225°C.

MINHAS COBERTURAS FAVORITAS

Cobertura de tomate, manjericão e mussarela

Cubra levemente a massa com molho de tomate (veja na página 237). Polvilhe com um punhado generoso de folhas de manjericão inteiras ou picadas. Desmanche um pouco de queijo mussarela e jogue os pedaços uniformemente por toda a pizza. Espalhe um pouco de pimenta-do-reino moída na hora. Asse por cerca de 10 minutos a 240°C. Quando estiver pronta, regue com o melhor óleo de oliva.

Cobertura de óleo de tomilho, alho, alcachofra e parmesão

Eu costumo usar um almofariz para isto, mas você consegue o mesmo efeito picando bem fino. Esmague um punhado de tomilho lavado e uma boa pitada de sal. Quando a mistura ficar parecendo uma pasta grossa, adicione 1/2 dente de alho e esmague-o também. Acrescente um pouco de suco de limão e cerca de 2 colheres (sopa) do seu melhor óleo de oliva. Agora prepare as alcachofras: 1 ou 2 alcachofras por pizza são suficientes, e você pode usar as frescas (veja na página 137) ou as que são vendidas em conserva. Primeiro corte-as ao meio com uma faca afiada, depois fatie ao comprido o mais fino possível. Imediatamente misture-as com cuidado à pasta de tomilho para evitar que desbotem, então cubra a pizza uniformemente com a mistura. Às vezes eu acrescento um punhado de rúcula a essa mistura no último minuto. Asse no forno por 10 minutos a 240°C, depois raspe alguns pedaços longos de queijo parmesão sobre a pizza (em casa, eu utilizo um descascador de batatas).

Cobertura de pimenta chilli, tomate, orégano e pancetta

Esta é uma cobertura espessa. Lave 3 tomates vermelhos (eu não retiro a pele, mas se você preferir, basta fazer um talho neles, colocá-los em água fervente por 15 segundos, depois descascá-los). Corte-os ao meio, retire as sementes e o centro, e pique-os grosseiramente. Coloque-os em uma tigela e tempere com sal (não muito, lembre-se de que a pancetta é bem salgada), pimenta-do-reino moída na hora e 1 pimenta chilli fresca pequena em fatias bem finas (você pode usar uma pimenta frita, mas tenha cuidado porque elas ardem). Adicione 1/4 de dente de alho picado bem fino, 1/2 punhado de folhas inteiras de orégano fresco e 1/2 punhado de orégano fresco picado. Acrescente umas 2 gotas de vinagre de vinho tinto. Misture tudo e cubra a pizza (faça isso bem rápido, já que o sal puxará a água dos tomates e a mistura não deve ser aguada demais). A pancetta é encontrada na maioria das delicatéssen ou em bons supermercados, mas se não encontrá-la, use bacon defumado. Coloque umas 6 fatias bem finas de pancetta sobre a pizza. Asse por 10 minutos a 240°C.

SOBREMESAS

Semi-freddo turrón nougat

Sobremesas são coisas divertidas que existem há muito tempo. Quando é chegada a hora de prepará-las, várias pessoas preferem não se preocupar muito, apenas compram coisas prontas ou congeladas (Hummm!). Outras pessoas têm somente um pequeno repertório de talvez duas ou três sobremesas que elas fazem muito bem, e, ao variar os recheios e ingredientes, podem aumentar esse repertório para umas 12 sobremesas diferentes. Esse é o espírito que nós queremos!

Quando você vai a um restaurante e está pagando um monte de dinheiro, você espera algo um pouco especial. Como chef, eu conheço diversas sobremesas que são muito trabalhosas para serem feitas em casa – tenho certeza de que ninguém terá vontade de prepará-las.

Por isso eu acredito que a solução é mostrar algumas receitas simples que você possa personalizar, mas sem coisas exageradas. Assim, aqui estão algumas receitas básicas simples e bacanas que podem servir de plataforma para a sua inspiração. Eu quero que você passeie pelos mercados e lojas e, quando avistar um ingrediente que chame sua atenção, que pareça suculento ou que tenha um aroma doce e irresistível, leve-o para casa e faça uma sobremesa encantadora com ele a partir destas receitas.

Frutas assadas

Não subestime a simplicidade das frutas da estação frescas e maduras. Experimente assá-las - elas assumem um caráter totalmente diferente. O sabor ácido da fruta morna com a doçura do açúcar de baunilha (veja na página 200) fica realmente interessante, bem diferente da fruta crua.

Compre algumas ameixas, damascos, nectarinas, pêssegos, peras, cerejas, figos e morangos de boa qualidade. Decida que quantidades vai usar; asse o tanto que quiser. Lave a fruta e corte-a ao meio, retire o caroço ou parte central se for necessário. Você pode acrescentar alguns talos rosas de ruibarbo, lavados e fatiados, ou descascar e fatiar algumas bananas. Coloque as frutas em uma travessa rasa de louça que possa ir ao forno, adicione umas duas gotas de conhaque se gostar e polvilhe com açúcar de baunilha (adoce a gosto, mas é óbvio que quanto mais a fruta for naturalmente doce, menos açúcar deverá ser utilizado.). De preferência grelhe ou asse as frutas no forno, utilizando a temperatura mais alta - por um curto tempo, só o suficiente para deixá-las um pouco macias, sem que percam o formato (isso deve levar cerca de 4 minutos, apesar de o ruibarbo precisar de mais uns 2 minutos). Sirva com creme de baunilha batido, crème fraîche (N.do T.: Um tipo de creme espesso feito a partir de creme de leite integral com a adição de creme azedo ou iogurte.), sorvete de baunilha ou mascarpone adoçado com açúcar de baunilha. De primeira!

Açúcar de baunilha

Não compre essência de baunilha. Muito menos o açúcar de baunilha pronto. É caro, vem pouco e é fácil fazer uma versão muito melhor. Você precisará de favas de baunilha. Apesar de as favas serem caras, a receita acaba sendo bem mais econômica por causa da quantidade de açúcar que se pode preparar com elas.

Não compre favas de baunilha secas e duras – compre as rechonchudas, pegajosas e moles. O que nós queremos fazer é infundir o sabor natural da baunilha no açúcar. Também é eficiente, e obviamente mais rápido, simplesmente deixar as favas dentro de um recipiente hermético com o açúcar. Assim você obterá um sabor mais sutil. Mas eu realmente gosto desta receita, pois com ela você consegue o máximo de sabor das favas.

1 kg de açúcar branco refinado
4 favas de baunilha

Você precisará de um processador de alimentos (ou um liquidificador). Coloque as favas de baunilha no processador e triture, raspe as laterais do recipiente e triture de novo. Adicione todo o açúcar e processe por cerca de 2 minutos. Peneire a mistura em uma tigela, coloque eventuais pedaços de volta ao processador e triture mais uma vez. (Você deve repetir esse processo se quiser um açúcar bem fino.) O resultado será uma mistura de coloração levemente cinzenta – esse é o verdadeiro açúcar de baunilha!

Guarde-o em um recipiente hermético. Ele deve durar anos.

Creme de mascarpone

Esse é um creme extraordinário. Fica ótimo para acompanhar frutas assadas, mas também serve de recheio para aquelas tortas de frutas feitas na última hora. Apenas preencha uma base de massa com ele, cubra com frutas, faça uma cobertura rápida se quiser: 1 colher (sopa) de geléia e 1 colher (sopa) de água aquecidas em uma panela. E está pronto.

1 colher (sopa) de açúcar de baunilha (veja na página 200)
255 g de queijo mascarpone

Simplesmente mexa o açúcar com o mascarpone.

Creme de baunilha

Este creme tem uma textura mais leve que a do creme de mascarpone. Combina com quase todas as sobremesas.

255 ml de creme de leite integral
1 colher (sopa) de açúcar de baunilha (veja na página 200)

Bata o creme e o açúcar até que a mistura fique em ponto de neve. Não bata demais.

Semi-freddo

Eu não conheço ninguém que não tenha gemido de prazer ao comer essa sobremesa! É deliciosa e realmente rápida e fácil de fazer. Com algumas variações, ela pode substituir muito bem o sorvete. Pessoalmente eu adoro fazer sorvete, mas quem realmente o faz em casa? Quase ninguém! Nós apenas vamos a algum lugar e compramos. Eu sei porque também faço isso.

Semi-freddo é especial por si só – é variado e refrescante como o sorvete. Eu mostrarei alguns dos meus sabores prediletos, mas você pode criar os seus a partir da receita básica.

Para obter melhor resultado, é importante reunir todos os ingredientes e preparar o semi-freddo bem rapidamente (Sem querer pressionar! Mas é melhor congelá-lo com a maior quantidade de ar dentro dele possível). Após preparar o seu sabor, o semi-freddo leva literalmente 4 minutos para ser feito. Depois de pronto, despeje-o no recipiente escolhido – eu gosto de usar uma travessa de louça larga. Então, coloque-o no congelador.

Eu sempre faço esta quantidade. Se você fizer mais do que precisa, apenas divida o pedaço que sobrou em porções e coloque de volta no congelador. Assim, quando você quiser um pedaço, retire-o do congelador e deixe-o descongelar levemente na geladeira até se tornar semi-freddo (semicongelado). Mas lembre-se – as mesmas regras do sorvete se aplicam aqui, uma vez que você não pode deixá-lo do lado de fora do congelador e depois voltar a congelá-lo. Não vá arranjar problemas!

O semi-freddo é uma sobremesa completa. Para incrementar, sirva-o com algumas frutas frescas – framboesas, morangos, mirtilos, cerejas – ou as frutas da estação. Na Itália, ele é servido com caramelo ou balas de leite, e até com um purê de frutas às vezes. Eu realmente não gosto dessas coisas todas, mas fica a seu critério. Apenas não exagere.

Para 12 pessoas
1 fava de baunilha
55 g de açúcar
4 ovos caipiras grandes, gemas e claras separadas
500 ml de creme de leite integral
sal

Retire as sementes da fava de baunilha fazendo um corte em seu comprimento e raspando as sementes para fora de cada metade. (Não jogue as favas vazias fora, misture-as com um pouco de açúcar – veja na página 200.) Bata as sementes de baunilha com as gemas dos ovos em uma tigela grande até criar uma mistura mais clara. Em uma segunda tigela, bata o creme até ficar em ponto de neve. (Importante! Por favor, não bata demais.) Depois, em uma terceira tigela, bata as claras dos ovos com uma pitada de sal até ficarem em ponto de neve dura (isto é, quando você puxar as claras para qualquer direção, elas permanecerão ali). Agora acrescente o sabor que você havia escolhido (veja as variações a seguir, ou crie a sua), o creme e as claras à mistura das gemas. Mexa gentilmente. Logo em seguida coloque o conteúdo no recipiente escolhido. Cubra com papel celofane e congele até você estar pronto para comê-lo.

VARIAÇÕES

Semi-freddo praline (de avelãs confeitadas)

Este é um dos meus favoritos, avelãs assadas e carameladas, simplesmente magnífico! Para fazer o caramelo com sucesso, é preciso dedicar uma atenção absoluta por cerca de 10 minutos. Você não pode abandoná-lo em nenhum momento, e tenha cuidado com crianças ao redor – queimaduras de caramelo são as piores que existem, sem brincadeira! Eu nunca me queimei com caramelo e nem você deverá se queimar, apenas use a cabeça e resista à tentação de prová-lo a qualquer momento.

310 g de avelãs descascadas
200 g de açúcar
4 colheres (sopas) de água

Asse as avelãs no forno a 225°C até que fiquem douradas (cerca de 4 minutos). Fique atento ao forno, pois, se assá-las demais, ficarão com um gosto amargo e você não poderá utilizá-las. Ponha o açúcar e a água em uma panela de fundo grosso e coloque-a em fogo médio-alto. A mistura começará a borbulhar e então se transformará em uma calda clara. No início, começará a escurecer em partes ou a partir das bordas. Com cuidado, agite a panela levemente, mexendo-a apenas para misturar as partes coloridas. Quando tudo estiver marrom-dourado, vire cuidadosamente a panela para longe de você e acrescente as avelãs. Abaixe o fogo e misture gentilmente para que fiquem cobertas com o caramelo. Quando ele estiver marrom-escuro, entorne-o em uma assadeira limpa levemente untada com óleo, ou em papel-manteiga sobre uma superfície que não se queima. A mistura esfriará, formando uma camada sólida e achatada.

Quando estiver completamente fria (o que leva cerca de 20 minutos), esmague-a um pouco e triture-a no processador de alimentos até obter pedaços ligeiramente grossos (com tamanho aproximado de 1/2 cm). Remova cerca de metade das avelãs confeitadas, então triture o restante até virar pó (ou coloque-as dentro de um pano de prato e esmague com um rolo de pastel). Acrescente essas duas porções de praline (avelãs confeitadas) à mistura de semi-freddo.

Semi-freddo de figos e mel

310 g de figos secos picados
3 colheres (sopa) grandes de mel ou a gosto
6 figos frescos

Remova os pequenos talos duros dos figos secos. Passe-os no processador de alimentos com o mel até ficarem picados. Lave os figos frescos, retire os talos e pique grosseiramente. Misture tudo. Acrescente à mistura do semi-freddo.

Semi-freddo turrón nougat (torrone)

Os franceses fazem nougat, os italianos fazem turrone e os espanhóis fazem turrón. (Aqui geralmente utilizamos o nome italiano.) São doces bem parecidos que vêm em uma variedade de sabores e combinações. Eles geralmente contêm nozes, frutas cristalizadas, mel, café e chocolate. Alguns são mastigáveis, outros são crocantes. Os crocantes são melhores para esta receita.

400 g de torrone (o sabor que você preferir e o melhor que puder encontrar)
150 g de nozes de pistache sem sal
50 g de chocolate (70% de cacau) (N. do T.: Os chocolates nacionais não costumam trazer a porcentagem de cacau. Para esta receita, o melhor seria utilizar o chocolate tipo amargo – o semi-amargo já seria muito doce.)
2 colheres (sopa) de mel

Quebre o torrone e passe-o no processador de alimentos até obter pedaços finos (ou coloque-o dentro de um pano de prato e esmague-o com um rolo de massa). Então acrescente as nozes de pistache, reservando algumas para jogar por cima depois. Adicione o torrone à mistura de semi-freddo. Rale o chocolate por cima e regue com mel.

PUDINS NO VAPOR

Todo mundo ama pudins no vapor, eu sei. Eles sempre me fazem lembrar do pudim que minha mãe prepara para comer depois do assado de domingo. Eu adoro com um monte de custard! (N.do T.: O custard é um creme muito utilizado na Inglaterra, e por isso às vezes é chamado de creme inglês. Ele é feito com leite, açúcar, gemas de ovo, amido de milho e baunilha.)

Eu mostrarei como fazer um magnífico pudim inglês com passas e, em seguida, darei uma receita básica de pudim no vapor com algumas variações de primeira. Eles são muito fáceis de preparar e ficam ótimos com custard, creme de mascarpone ou baunilha (veja na página 201). Você deve servir o pudim inteiro na mesa, quente e com uma cobertura. É a única maneira de servi-lo.

Pudim inglês com passas

Para 6 pessoas

120 g de gordura vegetal hidrogenada (N. do T.: A receita original pede suet, uma espécie de gordura densa, branca, encontrada no lombo ou nos rins de boi ou cordeiro, muito usada na Inglaterra para fazer certos tipos de pudins. Aqui, a maioria das receitas de pudim inglês a substitui por gordura vegetal hidrogenada ou manteiga e algumas por banha e até gordura de coco.)
450 g de sultanas (uvas passas brancas sem semente), uvas passas e groselhas
raspa de 1 limão ou 1 laranja
120 g de farinha de trigo sem fermento
120 g de açúcar
120 g de farinha de rosca
1 colher (chá) rasa de gengibre moído (ou a gosto)
1/4 de noz-moscada ralada
pitada de sal
1 ovo
140 ml de leite

Unte uma fôrma de pudim de 1 e 1/2 litro. Misture todos os ingredientes, exceto o ovo e o leite. Adicione o ovo batido e o leite e mexa bem. (Eu faço isso em uma batedeira, mas você pode fazer à mão, sem problemas.) Despeje a mistura na fôrma, cubra-a com papel-alumínio ou um pedaço de pano, e coloque em uma panela com água (até a metade da lateral da fôrma). Ponha a água para ferver, coloque uma tampa bem justa e cozinhe em fogo brando por 3 horas, lembrando-se de completar com água fervente de vez em quando.

Receita básica de pudim no vapor

120 g de farinha de trigo com fermento
pitada de sal
85 g de açúcar branco refinado
120 g de manteiga
1 ovo grande
8 colheres (sopa) de leite

Unte uma fôrma de pudim de 1 litro e 1/2. Despeje o sabor escolhido (veja as variações abaixo). Misture (à mão ou em uma batedeira) a farinha, o sal, o açúcar e a manteiga. Depois adicione o ovo e o leite, e mexa bem. Ponha essa mistura na fôrma de pudim que, em seguida, deve ser coberta com papel-manteiga, papel-alumínio ou com um pano amarrado com barbante. Coloque a fôrma dentro de uma panela com água (até a metade da lateral da fôrma) e cubra com uma tampa justa. Ponha para ferver, então cozinhe em fogo brando por cerca de 2 horas, completando com água fervente se necessário. Não deixe a água secar e tenha cuidado para que ela não pare de ferver.

VARIAÇÕES

Pudim de chocolate, laranja e nozes

Siga a receita para pudim de chocolate na página seguinte, acrescentado 120 g de nozes picadas bem finas (nozes, amêndoas ou avelãs) e a raspa de uma laranja à mistura do pudim simples.

Pudim de geléia

Simplesmente coloque 3 colheres (sopa) cheias de geléia no fundo da fôrma de pudim.

Pudim de chocolate

receita básica de pudim no vapor (veja na página 208), adicionando 3 colheres (sopa) de cacau à farinha

Cobertura de chocolate
120 g de açúcar de confeiteiro
120 g de chocolate de boa qualidade
120 g de manteiga amolecida
2 colheres (sopa) de leite

Ponha um pouco de água em uma panela grande e sobre ela coloque uma tigela. Leve a água à fervura e depois abaixe o fogo. Coloque o açúcar e o chocolate na tigela e mexa até que derretam. Retire do calor e misture-os com a manteiga. Depois acrescente o leite e misture mais uma vez. Finalmente despeje 1/4 dessa cobertura no fundo da fôrma de pudim, reservando o restante para ser aquecido e derramado sobre o pudim no vapor na hora de servir. Fica bem bonito!

Pudim de gengibre

receita básica de pudim no vapor (veja na página 208)
1 colher (sopa) de gengibre moído
50 g de gengibre picado

Adicione o gengibre moído e o gengibre picado à receita de pudim simples.

Esta receita também fica boa com um pouco de melaço. Você pode colocá-lo no fundo da fôrma de pudim no início, ou esquentá-lo e derramar sobre o pudim ao final.

Pudim de melaço

Simplesmente coloque 3 colheres (sopa) cheias de melaço no fundo da fôrma de pudim.

Fruit Crumble

Esta deve ser a sobremesa mais rápida de fazer no mundo! Todos a adoram, e você pode usar qualquer fruta da estação. Sirva com custard, creme, sorvete, creme de mascarpone ou de baunilha (veja na página 201).

Existem diversas variações desta sobremesa. Para começar eu darei a receita básica.

Para 6 pessoas
Crumble (farofa doce)
220 g de farinha de trigo sem fermento
120 g de manteiga
90 g de açúcar
pitada de sal

Fruta
450 g de frutas lavadas e preparadas
3 colheres (sopa) de açúcar

Coloque todos os ingredientes da farofa em um processador de alimentos e triture até ficar parecendo migalha de pão (você também pode fazer isso em uma batedeira ou à mão – apenas esfregue a mistura entre as mãos).

Ponha as frutas em uma travessa rasa que possa ir ao forno e polvilhe com açúcar. Espalhe o crumble sobre as frutas preparadas. Sacuda um pouco a travessa e asse no forno a 200°C por cerca de 1/2 hora ou até que a superfície esteja uniformemente dourada. (Se começar a escurecer nas bordas, abaixe um pouco o fogo.)

VARIAÇÕES

Crumble (farofa doce)

Você pode substituir metade da farinha por aveia em flocos, ou trocar um pouco da farinha por nozes picadas e moídas. Você pode até mesmo acrescentar uma colher (chá) de gengibre moído.

Fruta

Qualquer fruta ou uma combinação de frutas funcionam nesta receita: maçãs, maçãs com amoras-pretas, damascos, ruibarbo, groselhas vermelhas, groselhas negras, pêssegos, ameixas, framboesas, peras, frutas de verão (uma grande farofa de frutas quentes com sorvete!). Eu não consigo imaginar algo que você não possa aproveitar. Tente utilizar um açúcar mascavo macio em vez do açúcar branco – ele parece produzir um caldo mais caramelado. E que tal uns gomos de laranja ou um gengibre picado com ruibarbo, ou algumas amêndoas tostadas com pêssegos e damascos? A maçã sempre fica boa com um pouco de raspa e suco de limão, ou talvez algumas uvas passas brancas sem sementes. Experimente alguns figos frescos com mel em vez de açúcar. Eu aposto que você tem um monte de idéias – vá em frente. Esta é uma receita bastante versátil.

Nota: Eu não acrescento nenhuma água às frutas porque elas soltam o próprio suco, mas você pode adicionar umas duas colheradas se quiser. E também nunca cozinho as frutas antes de fazer a farofa; não é necessário.

UMA TORTA VERSÁTIL

Como esse é um livro sobre o que eu cozinho e o que eu acho fácil de preparar em casa, não esconderei a receita de massa em algum cantinho no final do livro. É uma coisa muito simples de fazer, preparar com antecedência, congelar e variar. É um grande trunfo para a culinária doméstica e bem versátil.

Massa podre doce

Para fazer 2 fôrmas de torta de 30 cm

250 g de manteiga
200 g de açúcar de confeiteiro
1 pitada média de sal
500 g de farinha de trigo
4 gemas de ovos
4 colheres (sopa) de leite/água frios

Como fazer a massa

Você pode fazer esta massa à mão ou em um processador de alimentos. Transforme a manteiga, o açúcar e o sal em um creme. Depois misture a farinha e as gemas, batendo mais um pouco (ou passe de novo no processador). Quando estiver tudo misturado, parecendo migalhas grossas de pão, adicione a água ou o leite frios. Dê umas batidinhas leves com as mãos e junte delicadamente os pedaços até formar uma bola de massa. Polvilhe ligeiramente com farinha, pressione, bata de leve e aperte dando um formato. A idéia é dar forma de massa aos ingredientes, utilizando a menor quantidade de movimento. Assim ela ficará com uma consistência quebradiça e flocada (quanto mais você amassá-la, mais elástica ela ficará, fazendo com que encolha no forno e fique grudenta – aaaah, isso não!).

Deixar descansar

Normalmente eu enrolo a massa como se fosse uma salsicha curta e gorda. Depois eu a embrulho em papel celofane e coloco na geladeira para descansar por pelo menos 1 hora.

Cobrir a fôrma

Corte a sua massa ao comprido em fatias finas (não tente fatiar massa congelada), com cerca de 5 mm de espessura. Pessoalmente, eu gosto dessa espessura, pois a torta fica bem delicada. Mas, se preferir, você pode deixá-la mais grossa, só levará mais tempo para assar. Acomode as fatias no fundo e nas laterais da sua fôrma de torta, ajustando-as como se fosse um quebra-cabeça. Depois simplesmente una os pedaços e nivele tudo. Para ajeitar as laterais, pressione com o polegar e retire o excesso de massa das bordas da fôrma, ou deixe que fique sobrando um pouco – o que dá um aspecto bem rústico, mas eu gosto. Depois de cobrir a sua fôrma de torta, é necessário deixar a massa descansar novamente por pelo menos 1 hora, de preferência no congelador (eu sempre guardo a minha massa no congelador, pois ela fica bem conservada). Eu costumo cobrir duas fôrmas de torta e congelar uma para o dia seguinte. Você pode fazer mais se quiser, já que não gastará nenhum tempo extra. Apenas dobre a receita. É muito prático pegar uma torta no congelador, assá-la em alguns minutos e recheá-la com algo simples ou elaborado. E se uma visita inesperada aparecer ou você quiser preparar uma sobremesa bacana, isso tornará tudo mais fácil!

Como assar a torta

Para começar, eu sempre asso a base das tortas por cerca de 15 minutos a 180°C, deixando a massa toda cozida e levemente dourada. Depois de ter esfriado completamente, ela poderá ser preenchida com qualquer recheio não cozido, como na Torta de mascarpone com frutas e na Torta de chocolate (veja na página 221) que, eu espero, servirão como uma base para você inventar e variar por conta própria.

Com recheios assados, como na Torta de amêndoas ou na Torta de creme de lima e limão, você terá que assar primeiro a massa vazia a 180oC, por apenas 12 minutos, de modo que fique só levemente corada, mas inteiramente cozida. Outro modo bastante usado é forrar a base da torta com papel celofane ou papel-manteiga e encher com grãos (você pode usar arroz, lentilhas, ervilhas, o que for). A idéia é comprimir os grãos firmemente para que eles impeçam que as laterais da massa desmoronem. Asse por 5 a 10 minutos. Sim, é um pouco trabalhoso, e eu só costumo fazer isso quando estou em um dia de azar. Se você retirar a sua base de torta do congelador e levá-la diretamente ao forno preaquecido, provavelmente não terá qualquer problema.

Após assar a torta vazia, acrescente o seu recheio e asse mais até ficar cozido (veja os tempos de cozimento nas receitas).

Torta de amêndoas

1 base de torta assada sem recheio (veja na página 214)
400 g de amêndoas descascadas (escalde-as para retirar as cascas)
350 g de manteiga sem sal
300 g de açúcar
3 ovos caipiras inteiros

Em um processador de alimentos, triture as amêndoas, transformando-as em um pó fino, e coloque em uma tigela. Depois passe a manteiga e o açúcar no processador até obter uma mistura leve e cremosa. Adicione esse creme às amêndoas com os ovos levemente batidos e misture tudo completamente. Leve a mistura à geladeira para deixar ligeiramente firme. Depois de esfriar, preencha a base da torta – não muito generosamente ou ela irá transbordar, mas sem racionar demais (a menos que você pretenda adicionar algumas frutas).

Ao preparar uma torta de amêndoas e frutas é sempre uma boa idéia escolher frutas que estejam ligeiramente verdes – depois de cozidas, o sabor delas contrastará com a doçura do recheio de amêndoas. Minhas favoritas são cerejas gordas, nectarinas, pêssegos e pêras. Apenas distribua as frutas na mistura de amêndoas após ter recheado a base da torta.

Asse sobre a grade do forno a 180°C por aproximadamente 1 hora, até que a mistura de amêndoas tenha ficado firme e dourada. Deixe esfriar por cerca de 1/2 hora e sirva com sorvete, crème fraîche ou creme de baunilha (veja na página 201).

Esta torta pode ser conservada por 2 dias, mas é bem conveniente congelar a mistura crua de amêndoas e a base de torta assada para aqueles amigos que aparecem de surpresa.

Torta de creme de lima e limão

Esta torta é uma das minhas combinações favoritas – na minha opinião, o limão e a lima ficam bem mais refrescantes do que o velho limão sozinho. Se você quiser intensificar o aroma da lima, simplesmente moa raspas de quatro limas e adicione à mistura do recheio no início. Este recheio é levemente cozido no forno depois que você assou a base da torta vazia. Assim, pode-se ter um recheio realmente suave e uma massa que se desmancha na boca.

1 base de torta assada sem recheio (veja na página 214)
340 g de açúcar branco refinado
8 ovos caipiras grandes
350 ml de creme de leite integral
200 ml de suco de lima
100 ml de suco de limão

Nesta receita em particular, como ela utiliza um recheio úmido, é importante passar uma mistura de clara de ovo com um pouco de água sobre a base da torta crua antes de acrescentar o recheio. Isso criará uma espécie de camada à prova d'água e manterá a massa crocante por mais tempo.

Asse a sua base de torta vazia (veja na página 214). Em uma tigela, bata rapidamente o açúcar e os ovos. Quando a mistura estiver bem homogênea, acrescente o creme e os sucos aos poucos, sem parar de misturar. Ponha a base da torta assada novamente no forno e então coloque o recheio dentro dela – eu acho que deste modo diminuímos o derramamento de recheio. Asse por cerca de 40 a 45 minutos a 180°C ou até que o recheio esteja assentado, mas meio mole no centro da torta (obviamente que fornos diferentes assarão de maneiras diferentes, por isso é bom experimentar esta torta algumas vezes para descobrir a hora exata de retirá-la do forno). Depois de esfriar por 1 hora, o recheio meio mole do centro terá se firmado, atingindo a consistência perfeita; macia e cremosa. Se você cortá-la antes do tempo de descanso, o recheio escorrerá ou ficará extremamente gosmento.

Pode-se polvilhar a torta com um pouco de açúcar de confeiteiro, se quiser. Sirva com um monte de framboesas ou morangos. Qualquer que seja a sua escolha de acompanhamento na hora de servir, deve ser algo simples para deixar a torta falar por si mesma.

Torta de chocolate assada

Eu acho que esta torta fica melhor quando servida com frutas leves sazonais (como mirtilos, framboesas ou morangos).

1 base de torta de 25 cm assada sem recheio (veja na página 214)
140 g de manteiga sem sal
150 g de chocolate para cozinhar da melhor qualidade (70% de cacau) (N. do T.: Os chocolates nacionais não costumam trazer a porcentagem de cacau. Para esta receita, o melhor seria utilizar o chocolate tipo amargo – o semi-amargo já seria muito doce.)
8 colheres (sopa) de cacau em pó peneirado
uma pequena pitada de sal
4 ovos
200 g de açúcar branco refinado
3 colheres (sopa) de melaço
3 colheres (sopa) meio rasas de creme azedo ou crème fraîche

Coloque a manteiga, o chocolate, o cacau em pó e o sal em uma tigela dentro de uma panela com água fervendo e deixe que derretam lentamente, mexendo ocasionalmente até ficar bem homogêneo. Em uma tigela separada bata os ovos e o açúcar juntos até obter uma mistura leve e cremosa, depois acrescente o melaço e o creme azedo (ou o crème fraîche). Adicione a mistura de chocolate a esse creme, retirando todo o chocolate com a ajuda de uma espátula. Depois de misturar bem, despeje o recheio na base de torta. Coloque no forno preaquecido por 40 a 45 minutos a 150°C. Durante o preparo, uma linda crosta se formará na superfície.

Retire cuidadosamente a torta do forno e deixe esfriar por pelo menos 45 minutos; nesse intervalo, a crosta irá rachar e o recheio encolherá um pouco.

Torta de chocolate simples

Torta de chocolate simples

Esta torta de chocolate é ótima para aqueles ataques "chocólatras" que acontecem de repente, pois ela é preparada rapidamente. Eu acho que ela pede uma base de massa um pouco mais grossa. E, quanto melhor for o chocolate que você comprar, melhor será o sabor.

1 base de torta assada (veja na página 214)
315 ml de creme de leite integral
2 colheres (sopa) rasas de açúcar branco refinado
a menor pitada de sal possível
115 g de manteiga amolecida
455 g de chocolate para cozinhar da melhor qualidade (70% de cacau), em pedaços (N. do T.: Os chocolates nacionais não costumam trazer a porcentagem de cacau. Para esta receita, o melhor seria utilizar o chocolate tipo amargo.)
100 ml de leite
cacau em pó para polvilhar

Ponha o creme, o açúcar e a pitada de sal em uma panela, e leve à fervura. Assim que o conteúdo ferver, retire do fogo e adicione a manteiga e o chocolate. Mexa até eles derreterem totalmente. Deixe esfriar um pouco, misturando o leite frio até obter um creme macio e brilhante. Às vezes esse creme fica com aspecto de que rachou. Deixe que esfrie mais e bata rapidamente, acrescentando um pouco de leite frio até ficar cremoso. Com a ajuda de uma espátula, coloque toda a mistura dentro da base de massa assada e fria. Dê uma sacudida na torta para distribuir o recheio uniformemente e deixe esfriar por cerca de 1 a 2 horas até ficar à temperatura ambiente. Polvilhe com o cacau em pó. No final de tudo, a massa deve estar se desmanchando na boca e o recheio deve ficar cremoso e cortar como manteiga.

Torta de mascarpone com frutas

Esta é o supra-sumo das tortas rápidas e fica excelente quando estão disponíveis frutas macias. Passe o seu creme de mascarpone dentro da base de torta assada e fria (veja na página 214). Alise com uma faca de ponta redonda e empilhe uma porção de frutas (lave-as se necessário) sobre a torta.

CALDOS, MOLHOS, PETISCOS, TIRA-GOSTOS E MAIS ISTO E AQUILO

Caldo de galinha

Caldo de galinha é algo muito útil para ter na geladeira ou no congelador, e nós podemos preparar o abastecimento para um mês de uma só vez. Eu normalmente compro asas e coxas, mas você também pode conseguir carcaças de frango bem baratas com o seu açougueiro. Eu já fiz caldo até com a carcaça que restou do frango assado do domingo. Eu apenas a coloco em uma panela e sigo exatamente a receita que mostrarei agora – o caldo fica perfeito, não tão claro, mas com um gosto ótimo.

Para 4 litros de caldo
2 kg de carcaças de frango cruas picadas
½ cabeça de alho quebrada, mas com casca
5 talos de salsão (aipo) picados grosseiramente
2 alhos-porós médios picados grosseiramente
2 cebolas médias picadas grosseiramente
2 cenouras grandes picadas grosseiramente
3 folhas de louro
3 galhos de alecrim fresco
5 galhos de salsa fresca
5 galhos de tomilho fresco
5 grãos de pimenta-do-reino inteiros
6 litros de água fria

Em uma panela larga, alta e de fundo grosso coloque as carcaças de frango, o alho, os vegetais, todas as ervas e os grãos de pimenta. Adicione a água fria e leve à fervura, então abaixe o fogo. Continue cozinhando em fogo brando por cerca de 3 a 4 horas, escumando quando necessário. Depois passe o caldo por um peneira fina. Deixe que ele esfrie por cerca de 1/2 hora e, então, coloque na geladeira. Quando estiver frio, o caldo deve ficar com uma cor clara e ligeiramente âmbar. Nesse momento eu geralmente divido o caldo em pequenas vasilhas plásticas e congelo. Ele fica bem conservado na geladeira por aproximadamente 4 dias e, no congelador, de 2 a 3 meses.

Caldo de peixe

Caldo de peixe é outra coisa que convém termos no congelador. Quando você comprar um peixe, nunca deixe que o peixeiro jogue os ossos fora. Leve-os para casa e faça caldo com eles. Você também pode deixar os ossos do peixe no congelador até o momento em que precisar deles, mas prefiro preparar o caldo e congelá-lo, assim ele estará disponível sempre que eu quiser. Alguns dos melhores ossos para fazer caldo de peixe são os de linguado e tamboril. Os de bacalhau, tainha, são-pedro, solha e rodovalho também são bons, porém mais leves. Não costumo utilizar ossos de peixes oleosos.

Para 3 litros de caldo
2 kg de ossos de peixe
2 talos de salsão (aipo) picados grosseiramente
½ bulbo de erva-doce (funcho) picado grosseiramente
½ cabeça de alho quebrada e em fatias bem finas
2 pimentas (chilli) secas
2 colheres (sopa) de óleo de oliva
250 ml de vinho branco
3 litros e ½ de água
suco de 1 limão
6 galhos de salsa fresca
3 folhas de louro
1 galho de tomilho fresco

Lave bem os ossos e pique-os grosseiramente. Se estiver usando as cabeças, remova as brânquias e os olhos. Em uma panela larga, alta e de fundo grosso, refogue os vegetais, o alho e as pimentas no óleo de oliva por alguns minutos até ficarem tenros, mas sem dourar. Adicione os ossos e refogue por mais 3 a 4 minutos, então acrescente o vinho branco. Cozinhe por mais 2 a 3 minutos e deixe evaporar um pouco. Adicione toda a água fria e ponha para ferver, escumando regularmente. Esprema o suco do limão dentro da panela e junte todas as ervas frescas. Cozinhe em fogo brando por 20 minutos, escumando regularmente. (É importante não cozinhar demais, já que, depois de um tempo, os ossos desprendem um leve sabor amargo e o caldo escurece.) Passe-o por uma peneira e deixe esfriar. Depois, o caldo pode ser fervido e evaporado para intensificar o sabor. Ele pode ser conservado na geladeira por 2 ou 3 dias, ou você pode congelá-lo por 1 a 2 meses. Um bom caldo de peixe é saboroso, tem a cor clara e, quando frio, parece uma gelatina.

Caldo de vegetais

Para aproximadamente 3 litros de caldo
1 colher (sopa) de óleo de oliva
2 cebolas médias
2 cenouras grandes picadas grosseiramente
2 alhos-porós médios picados grosseiramente
½ cabeça de salsão (aipo) (utilize os pedaços fibrosos e talosos) picada grosseiramente
½ bulbo de erva-doce (funcho) picado grosseiramente
½ cabeça de alho quebrada e picada grosseiramente
4 litros de água
2 galhos de tomilho
1 galho de alecrim
3 folhas de louro
1 pimenta (chilli) seca
4 grãos de pimenta-do-reino
2 colheres (chá) de sal

Opcional: *Para ficar um pouco mais interessante, você pode acrescentar um punhado de cogumelos secos*

Aqueça o óleo de oliva em uma panela larga, alta e de fundo grosso, em seguida acrescente todos os vegetais e o alho. Refogue suavemente sem dourar por 5 minutos, até que fiquem levemente tenros – você pode tampar a panela se quiser. Adicione a água fria. Ponha para ferver e escume. Junte todas as ervas frescas, a pimenta chilli, os grãos de pimenta-do-reino e o sal. Cozinhe em fogo lento por 2 horas, retirando a espuma de vez em quando. Depois de 2 horas, passe o caldo através de uma peneira. Você pode conservá-lo na geladeira por até uma semana, ou pode congelá-lo em pequenas vasilhas por um período de 3 a 4 meses.

Caldo clarificado

Depois de fazer um caldo adorável, esta é uma boa receita para adicionar um sabor extra, assim como para retirar todas as impurezas dele, deixando-o claro e brilhante. Antigamente este procedimento, que é exatamente igual à preparação do consomê francês, era visto como algo bem difícil e complicado, mas isso é uma besteira.

3 a 4 litros de caldo
85 g de carne magra ou de peixe picado (escolha carne ou peixe de acordo com o seu caldo)
3 claras de ovos
1 alho-poró médio picado bem fino
1 talo de salsão (aipo) picado bem fino
1 tomate vermelho maduro picado bem fino
1 cenoura descascada e picada bem fino
1 bom punhado de ervas frescas como salsa, manjerona, orégano

Despeje o seu caldo em uma panela larga. Coloque os pedaços de carne ou peixe, as claras de ovo, todos os vegetais e ervas em uma tigela. Mexa de leve para desfazer as claras. Junte essa mistura ao caldo e bata bem. Ponha o caldo para ferver lentamente, mexendo nos primeiros minutos.

Conforme o caldo começar a borbulhar, a proteína da carne ou do peixe e das claras de ovo começará a se solidificar, prendendo todos as ervas e vegetais bem picados. Isso atuará como uma espécie de peneira e formará uma crosta na superfície do caldo. Você só deve ficar atento para que o caldo não ferva – apenas o mantenha em fogo brando por cerca de 1/2 hora. Geralmente as bolhas do caldo tentam fazer um pequeno buraco ou rachar a crosta, assim eu só aumento cuidadosamente o tamanho do buraco com uma concha. Depois de 1/2 hora, quando tiver obtido uma boa crosta e um caldo completamente claro, deixe-o descansar por cerca de 10 minutos. Então, utilizando uma concha, passe-o cuidadosamente por uma peneira fina. Se quiser garantir que seu caldo não tenha nenhum pedaço de algum ingrediente, acomode um guardanapo ou uma folha de papel toalha na peneira (ou um pedaço de musselina, se conseguir), mas isso não é essencial.

Você pode conservar o caldo peneirado na geladeira por 4 dias ou congelá-lo por até 2 meses.

Manteiga temperada

A manteiga temperada pode ser realmente útil na hora de preparar algo rápido como um pão de alho, ou para criar um modo mais saboroso de fritar peixe, carne e legumes. Você pode usar vários sabores diferentes. Fica bom com ervas - especialmente manjericão, coentro, alecrim, sálvia ou tomilho. Ou você pode utilizar alho, azeitonas, tomates secos, anchovas, pimentas (chilli) e limão com tomilho - tudo o que você imaginar.

Deixe um pouco de manteiga à temperatura ambiente até amolecer. Pique os ingredientes escolhidos bem fino ou grosseiramente (a quantidade a ser utilizada fica a seu critério - depende da intensidade de sabor que você deseja). Então, simplesmente esmague os ingredientes dentro da manteiga. Com uma espátula, raspe a mistura e ponha sobre uma folha de papel-manteiga. Enrole a folha de papel como uma salsicha, dobre as laterais e molde até obter um tubo uniforme. Leve à geladeira. Ela se conserva no congelador por uns 2 meses.

Manteiga clarificada

Quando faço manteiga clarificada, eu simplesmente levo uma panela com um pouco de manteiga ao fogo bem baixo. Depois de cerca de 45 minutos, a manteiga terá derretido e o leite (ou o soro) terá se acomodado no fundo da panela. Tire com a escumadeira qualquer coisa que estiver na superfície e despeje a manteiga clara, clarificada e dourada em outro recipiente, descartando o soro. A manteiga clarificada sempre foi popular porque pode ser usada em temperaturas bem altas sem perder o sabor. Depois que a manteiga tiver esfriado, coloque-a em embrulhos de papel-manteiga (enrole como uma salsicha, empurrando as extremidades para ajeitar o formato) ou em recipientes plásticos. Ela pode ser conservada na geladeira por 1 a 2 semanas ou no congelador por até 3 meses.

Você pode usar manteiga clarificada para fritar carne e peixe - ela deixa uma cor bem dourada.

Maionese

Para 8 pessoas

1 gema de ovo grande
1 colher (sopa) de mostarda Dijon
sal a gosto
1 colher (sopa) de vinagre de vinho branco
1 colher de suco de limão
280 ml de óleo de amendoim
280 ml de óleo de oliva

A maionese pode ser preparada em um processador de alimentos, em uma batedeira ou à mão, com um batedor e uma tigela. Ponha a gema de ovo, a mostarda, 3 pequenas pitadas de sal, o vinagre e o suco de limão em uma tigela e bata até que o sal tenha se dissolvido. Batendo bem rápido, adicione gradualmente gotinhas do óleo, de modo que os ovos possam formar uma emulsão com ele. (Se você adicionar muito rapidamente, a mistura poderá rachar.) Após adicionar 1/4 do óleo, a mistura começará a ter o aspecto de maionese. Então, acrescente o óleo um pouco mais rapidamente. Se em algum momento a mistura começar a se separar, apenas junte uma colher (sopa) de água fervente à maionese, pois isso deverá emulsificá-la. Depois de adicionar todo o óleo, a maionese tem de apresentar consistência espessa, cremosa e levemente amarelada. Nesse momento você deve provar o tempero.

Se quiser condimentar a maionese, acrescente ervas picadas ou nozes assadas e trituradas – maionese de manjericão, maionese de endro (dill) ou maionese de amêndoas assadas, por exemplo.

Aïoli

Quando preparo aïoli, utilizo dois óleos de oliva: um que é mais caro, levemente picante e mais forte; e outro suave, mas que é bom e maduro também. Ao misturar os sabores dessa maneira, você obtém um sabor de óleo de oliva que não é nem muito forte nem picante demais.

O aïoli fica ótimo com carne de porco assada fria. O aïoli de manjericão combina com um salmão rosa grelhado, e o de limão vai bem com torradas em um caldo de peixe.

Para 8 pessoas

½ dente de alho pequeno descascado
1 colher (chá) de sal
1 gema de ovo grande
1 colher (chá) de mostarda Dijon
aproximadamente 280 ml de óleo de oliva extravirgem
aproximadamente 280 ml de óleo de oliva
suco de limão a gosto

Esmague o alho em um almofariz (se não tiver um, você pode picar o alho bem fino) com 1 colher (chá) de sal. Ponha a gema de ovo e a mostarda em uma tigela e bata rapidamente. Então comece a adicionar o seu óleo de oliva gradualmente. Depois de ter misturado 1/4 do óleo, você pode começar a acrescentar o restante em quantidades maiores. Após utilizar todo o óleo, adicione o alho e o limão (a gosto) e qualquer sabor extra como manjericão, folhas de erva-doce (funcho), endro (dill) ou nozes assadas picadas. Por último, apenas tempere o molho com sal, pimenta-do-reino moída na hora e suco de limão a gosto.

Molho de pão

Este molho de pão fica excelente com qualquer assado.

Para 6 pessoas
1 cebola média descascada
6 cravos
1 folha de louro
pitada de noz-moscada moída
½ colher (chá) de pimenta-do-reino moída
1 colher (chá) de sal
280 ml de leite
120 a 140 g de migalhas de pão branco
30 g de manteiga
2 colheres (sopa) de creme de leite

Coloque a cebola (espetada com os cravos), a folha de louro, a noz-moscada, a pimenta-do-reino, o sal e o leite em uma panela. Leve à fervura e cozinhe em fogo brando por cerca de 5 minutos. Retire do fogo e deixe descansar por aproximadamente 15 minutos. Passe o leite por uma peneira, descartando o restante. Ponha o leite para ferver de novo e cozinhe em fogo brando, adicionando as migalhas de pão gradualmente (sem parar de mexer). Para dar uma textura interessante é importante ter tanto migalhas finas quanto grossas.

Acrescente a manteiga e o creme. Tempere a gosto. Se achar que o molho ficou líquido demais, adicione algumas migalhas. Se achar que ele está espesso, acrescente um pouco de leite. Ultimamente eu tenho incrementado o meu molho de pão com 3 ou 4 boas colheres (chá) de mostarda inglesa.

Molho de maçã

Para 6 – 8 pessoas
4 maçãs grandes cozidas
50 g de açúcar
suco de 1 limão
4 cravos
50 g de manteiga

Descasque as maçãs, retire o centro delas e corte-as em quatro. Coloque-as em uma panela com o açúcar, o suco de limão e os cravos (você pode adicionar uma colher de sopa de água se quiser). Cozinhe as maçãs em fogo brando até elas ficarem tenras. Retire os cravos, adicione a manteiga e esmague tudo para obter uma polpa, ou esmague parcialmente mantendo alguns pedaços – o que eu gosto bastante.

Molho de hortelã

Este é o velho molho inglês de hortelã que fica ótimo com um cordeiro assado.

Para 6 – 8 pessoas
4 colheres (sopa) rasas de hortelã fresca picada
1 colher (chá) de açúcar
1 colher (sopa) de água quente
2 pitadas de sal
3 colheres (sopa) de vinagre de vinho

Ponha a hortelã em uma tigela com o açúcar e a água. Misture até que o açúcar se dissolva. Adicione o sal e o vinagre e deixe descansar por pelo menos 30 minutos antes de usar.

Pesto

O pesto é um molho amplamente utilizado. Todos o adoram, e ele combina com diversos pratos como massas, vegetais, carnes grelhadas e assadas. Um bom pesto pode ser servido com qualquer coisa. Atualmente é mais fácil encontrar manjericão roxo nos supermercados, assim você pode preparar um pesto roxo, que acompanha bem vários pratos e dá um toque diferente. O pesto pode ser feito em um processador de alimentos, mas fica melhor quando é preparado em um almofariz – eu não sei por quê. Imagino que o processo de esmagar e rasgar as folhas extrai melhor os belos sabores do manjericão.

Para 4 pessoas
¼ de dente de alho picado
3 bons punhados de manjericão fresco aparado
1 punhado de pinoli levemente assado
1 bom punhado de queijo parmesão ralado
óleo de oliva extravirgem
sal e pimenta-do-reino moída na hora
um pouco de suco de limão (opcional)

Coloque o alho em um almofariz ou em um processador de alimentos. Se você gosta de um sabor forte de alho, pode acrescentar mais. Eu permaneço com cerca de 1/4 de dente de alho, que já é bem forte quando cru. Esmague o alho com as folhas de manjericão fresco. Junte o pinoli assado, dourado e frio à mistura e esmague tudo. Derrame em uma tigela e adicione metade do parmesão. Mexa gentilmente e acrescente o óleo de oliva, apenas o suficiente para dar liga ao molho e obter a consistência certa – semi-úmido, mas firme.

Prove a mistura, adicione um pouco de sal e pimenta e o restante do queijo. Acrescente um pouco mais de óleo e prove novamente. Continue adicionando um pouco de cada ingrediente até chegar à medida exata – é assim que se faz pesto. Não existem regras definidas, se você o fizer na hora de servir e utilizar os melhores ingredientes, o gosto será sempre magnífico. Quando prová-lo pela última vez, o pesto pode precisar de um pouco de suco de limão. Nem todas as receitas de pesto pedem isso, mas fica muito bom, já que o limão evidencia o perfume do manjericão.

Salsa verde (molho picante)

A salsa verde fica melhor quando é feita à mão, picando bem os ingredientes. Ela pode ser conservada por 1 dia, depois começa a se deteriorar. Combina com carne, peixe e vegetais grelhados, assados ou cozidos.

Para 8 pessoas
1 e ½ ou 2 dentes de alho descascados
1 punhado pequeno de alcaparras
1 punhado pequeno de pepininhos em conserva (tipo cornichon – aqueles em vinagre doce)
6 filés de anchova
2 punhados grandes de salsa picada
1 ramalhete de manjericão fresco picado
1 punhado de hortelã fresca picada
1 colher (sopa) de mostarda Dijon
3 colheres (sopa) de vinagre de vinho tinto
aproximadamente 120 ml / 8 colheres (sopa) do seu melhor óleo de oliva
sal e pimenta-do-reino moída na hora

Pique bem todos os ingredientes e coloque-os em uma tigela. Adicione a mostarda e o vinagre de vinho tinto. Misture lentamente com o óleo de oliva até atingir a consistência desejada e equilibre os sabores com pimenta-do-reino moída na hora e, se necessário, sal marinho e mais vinagre de vinho tinto.

Salsa de chilli e erva-doce

Este molho fica magnífico com um peixe grelhado ou frutos do mar. Combina com bacalhau e salmão grelhados ou assados – sirva o peixe inteiro em uma travessa larga, com o molho espalhado por cima. Deixe o peixe esfriar até atingir a temperatura ambiente, de modo que fique impregnado com os sabores incríveis desse molho. Coloque a travessa no centro da mesa para que todos se sirvam. Acompanhe com batatas cozidas, uma boa salada e pão.

Para 6 pessoas
4 pimentas (chilli) médias
1 bulbo de erva-doce (funcho)
1 punhado de folhas de erva-doce (funcho)
suco de 1 ou 2 limões grandes
aproximadamente 8 colheres (sopa) de óleo de oliva
sal e pimenta-do-reino moída na hora

Retire as sementes das pimentas e pique-as bem fino. Corte qualquer talo do topo da erva-doce que estiver em excesso, reservando as folhas verdes com formato de pluma. Apare o fundo do bulbo e retire as folhas externas que estiverem um pouco duras. Corte o bulbo ao meio e depois fatie a partir da raiz até o topo – fatias com cerca de 2 mm. Em seguida, fatie no outro sentido – com 2 mm também – para obter um pequeno cubo (você pode fazê-lo maior, se preferir). Pique as folhas da erva-doce. Coloque tudo em uma tigela, esprema o suco de 1 limão (ou mais, a gosto) e misture com o óleo. Tempere com sal e pimenta.

Salsa de chilli e pimentão

Uma foccacia em fatias bem finas fica excelente com esse molho. Ele é perfeito para festinhas.

Para 6 pessoas
2 pimentões vermelhos
½ cebola roxa bem picada
4 pimentas (chilli) vermelhas médias/grandes sem sementes e bem picadas
½ dente de alho bem picado
120 ml/8 colheres de óleo de oliva
1 colher (sopa) de vinagre de vinho tinto
1 punhado de salsa bem picada
1 punhado de manjericão bem picado
sal e pimenta-do-reino moída na hora

Grelhe os pimentões inteiros, virando-os em intervalos, até que a pele deles fique escura. Coloque-os em uma tigela enquanto ainda estiverem quentes e cubra-os com papel celofane. Deixe que cozinhem com o vapor (assim será mais fácil retirar a pele). Descasque os pimentões, retire as sementes e pique-os bem fino. Então acrescente os outros ingredientes e misture. Prove o tempero. Deixe descansar por 1 hora para que os sabores se intensifiquem. Ajuste o tempero antes de servir.

Relish de coco, tomate, pepino e lima

Este é um relish/salada realmente agradável e muito simples de preparar. Combina especialmente com o Curry de frango verde aromático (veja na página 122).

Para 4 pessoas

16 tomates-cereja cortados em quatro e picados grosseiramente
½ coco fresco ralado ou raspado
1 punhado pequeno de manjericão ou coentro picados grosseiramente
15 cm de pepino sem casca, sem sementes e picado grosseiramente
1 colher (sopa) de óleo de oliva
sal e pimenta-do-reino moída na hora
suco de 1 ou 2 limas
1 pimenta (chilli) vermelha em fatias finas (opcional)

Ponha os tomates, o coco, o manjericão, o pepino e a pimenta vermelha, se for utilizá-la, em uma tigela e misture. Um pouco antes de servir, misture com o óleo de oliva, o sal, a pimenta e o suco de lima a gosto.

Molho de tomate simples

Este molho pode ser congelado por uns 2 meses, ou guardado na geladeira por até 1 semana, e é a base de diversos pratos.

Para 6 a 8 pessoas

1 dente grande de alho bem picado
2 colheres (sopa) de óleo de oliva
1 pimenta (chilli) vermelha pequena e seca, esmigalhada
2 colheres (chá) de orégano seco
3 latas de 400 g de tomates vermelhos italianos
1 colher (sopa) de vinagre de vinho tinto
1 punhado de manjericão ou manjerona (ou ambos), picados grosseiramente
sal e pimenta-do-reino moída na hora
2 ou 3 colheres (sopa) de óleo de oliva extravirgem

Em uma panela de fundo grosso, frite levemente o alho com o óleo de oliva, então adicione a pimenta chilli, o orégano e os tomates. Misture com cuidado, sem quebrar os tomates, para que não soltem as sementes deixando o molho ligeiramente amargo – mantendo os tomates inteiros e cozinhando essa mistura lentamente, você obterá um ótimo molho. (Pode-se retirar as sementes dos tomates se quiser, mas eu não acho necessário.) Leve à fervura e cozinhe em fogo brando por 1 hora. Adicione o vinagre, depois misture e pique os tomates dentro do molho. Agora acrescente o manjericão fresco ou a manjerona (ou ambos), tempere a gosto e coloque 2 a 3 colheres (sopa) do seu melhor óleo de oliva.

Conserva de pimentas chilli

Pimentas chilli em conserva são esplêndidas porque elas podem ficar na geladeira à espera de serem aproveitadas. Eu particularmente gosto de usá-las em frituras rápidas e em caldos, ou de comê-las puras com um pouco de queijo e pão. Elas são realmente gostosas, e você deveria experimentá-las.

600 g de pimentas (chilli) verdes médias
15 grãos de pimenta-do-reino
5 folhas de louro
2 colheres (sopa) de sementes de coentro
5 colheres (chá) de sal
6 colheres (sopa) rasas de açúcar branco refinado
1 litro de vinagre de vinho branco ou vinagre de arroz.

Para preparar esta receita, você deve comprar pimentas verdes perfeitas sem mancha nenhuma (você pode usar pimentas vermelhas, mas elas ficarão ligeiramente mais picantes). Em apenas um dos lados da pimenta, faça cuidadosamente um talho da extremidade do talo até a ponta e remova as sementes (use o cabo de uma colher de chá para isso). Em uma tigela, derrame água fervente sobre as pimentas e deixe-as ali por 5 minutos, depois escorra. Isso extrairá a maioria das sementes que haviam permanecido. Depois coloque os grãos de pimenta-do-reino, as folhas de louro, o coentro, as pimentas e o sal em um pote largo ou em algum outro recipiente hermético. Ponha o açúcar e o vinagre em uma panela e aqueça até dissolver completamente o açúcar. Quando esta mistura estiver bem quente, mas não fervendo, derrame dentro do pote com as pimentas. Tampe assim que esfriar. Coloque na geladeira e deixe lá por no mínimo 2 semanas antes de usar. Elas se conservam na geladeira por pelo menos 4 meses.

ÍNDICE

Números de página em negrito indicam ilustrações
v indica receitas vegetarianas

AGRADECIMENTOS

Para minha mãe e meu pai pela excelente infância e pelas oportunidades que me deram. E para Jules, minha noiva, por ter me agüentado e me dado umas palmadas e feito carinho quando necessário!

Para Rose Gray e Ruthie Rogers pelo tempo, estímulo e apoio. Para Gennaro Contaldo por ter me acolhido debaixo de sua asa e me proporcionado um pouco do verdadeiro sentimento, amor e espírito da cozinha italiana essencial. Seu degenerado! Para Paul e Anna pelo ânimo e pelas idéias no início. Para Wilko por ter me vendido uma lambreta danada. Para Bender, o australiano, pelas risadas, pela amizade, pela ajuda e por ser um maldito cozinheiro de primeira (e por apoiar sonhos absurdos incondicionalmente!). Para Girth Boys Inc: Arthur, Ben Número 2, Ashley, Theo, Peter, Gary e Damo. Para Mark Phillips Ansell pelos ensinamentos e pelas estórias engraçadas no começo de tudo, e a todos do Cricketers em Clavering. Para Tim, da Tesco, por me ajudar a pesquisar os peixes nos supermercados.

Para Jean Cazals e David Eustace por suas fotografias fantásticas e por transformarem dias de muito trabalho em diversão. Para Michael Joseph/Penguin por ter investido tanto neste livro quanto eu: Tom Weldon, Johnny Boy Hamilton, Nick "Zeus" Wilson, a encantadora Lindsey Jordan, Nici Stanley e James Holland. Saúde.

Para a Optomen Television e a todos envolvidos na realização do programa: Pat Llewellyn, Peter Gillbe, Corinne Field, a competente Polly, a pequena Lucy e o restante do time. Obrigado por transformarem a minha vida em um inferno por três meses! Muito amor. E para Ginny Alcock e Kate Habershom, as estilistas de comida, por toda a ajuda e trabalho duro.

Eu gostaria de agradecer alguns dos melhores fornecedores de Londres que, além de oferecerem um excelente serviço, dão aquele algo mais com um toque pessoal. Muito obrigado. Os quatro mestres são:

A adorável Patrícia do La Fromagerie, 30 Highbury Park, London N5 2AA (a melhor loja de queijos na Inglaterra). Tel.: 020 7359 7440.

Brian Randalls Butchers (açougue), 113 Wandsworth Bridge Road, London S W6 2TE. Tel.: 020 7736 3426.

Barry the Boy, Portobello Road Market.

Rushton do George Allans Vegetables (legumes e verduras), Unit 12 – 14, C Block, New Covent Garden Market. Tel.: 020 7720 3485.